Martine
26/09/09

LE MÉTIER DE RELATIONNISTE

Le communiqué ou l'art de faire parler de soi,
1re édition, Montréal, VLB éditeur, 1990.
2e édition, Québec, Les Presses de l'Université Laval, 1997.

La crise d'octobre et le miroir à dix faces,
Montréal, VLB éditeur, 1990.

La conférence de presse ou l'art de faire parler les autres,
Québec, Les Presses de l'Université Laval, 1996.
2e tirage, 1997.

Le plan de communication. L'art de séduire ou de convaincre les autres,
Les Presses de l'Université Laval, 1988

Media, Crisis and Democracy, Londres, Sage, 1992 (en collaboration avec Marc Raboy).

Bernard Dagenais

LE MÉTIER DE RELATIONNISTE

Les Presses de l'Université Laval
Sainte-Foy, 1999

Les Presses de l'Université Laval reçoivent chaque année du Conseil des Arts du Canada et de la Société de développement des entreprises culturelles du Québec une aide financière pour l'ensemble de leur programme de publication.

CANADA *Nous reconnaissons l'aide financière du gouvernement du Canada par l'entremise de son Programme d'aide au développement de l'industrie de l'édition pour nos activités d'édition.*

Données de catalogage avant publication (Canada)

Dagenais, Bernard

    Le métier de relationniste

    Comprend des réf. bibliogr.

    ISBN 2-7637-7596-9

    1. Relations publiques. 2. Spécialistes des relations publiques. 3. Spécialistes des relations publiques – Formation. 4. Relations publiques – Pratique. I. Titre.

    HD59.D33 1999   659.2   C98-941633-X

Infographie : Diane Trottier

Maquette de couverture : Chantal Santerre

6e Tirage : 2007

Les Presses de l'Université Laval
Pavillon Pollack, bureau 3103
2305, rue de l'Université
Université Laval, Québec
Canada, G1V 0A6
www.pulaval.com

INTRODUCTION

On les appelle agent d'information, de relations publiques ou de communications, relationniste, conseiller d'information, de relations publiques ou de communications, attaché de presse, professionnel, spécialiste ou expert des communications, chargé de la communication, chargé d'affaires publiques, praticien des relations publiques, journaliste d'entreprise, porte-parole, hôte ou hôtesse.

On les retrouve dans des entreprises et des organisations de toutes dimensions, de la multinationale à la garderie, en passant par les gouvernements, les églises, les groupes d'intérêt et les médias.

Ils traitent de tous les sujets ; de la politique, de l'économie, de la vie en société, de la culture, du sport. Ils occupent toutes les dimensions de l'espace public. Aucune décision, aucun défi, aucun enjeu n'échappent à leurs interventions.

L'objectif qu'ils poursuivent tous est de suciter la sympathie de différents publics à l'endroit de leur entreprise, de leur organisation ou d'une personne. Leur moyen privilégié consiste à attirer l'attention des médias pour que ceux-ci amplifient la portée de leur discours, de leur geste, de leur cause ou de leur idée.

Ils doivent savoir mettre en valeur et défendre les entreprises qui les engagent. Il leur faut rivaliser d'originalité car les entreprises concurrentes et adverses tentent, au même moment, d'obtenir aussi l'attention des médias, soit pour se faire valoir soit pour discréditer leurs adversaires.

Ils vivent dans le sillon des journalistes qui ne les portent pas toujours dans leur cœur. Et ils doivent combattre à l'intérieur de leur entreprise une certaine incompréhension des autres professionnels qui ne saisissent pas toujours bien la véritable dimension de leur travail.

Ils exercent un métier qui se nomme les relations publiques. Mais celles-ci sont pratiquées par quiconque veut s'improviser communicateur. Et ils sont nombreux. Car, comme pour les autres métiers de la communication, l'exercice de la profession nécessite une formation certaine, mais celle-ci n'est pas obligatoire.

Ils défendent des intérêts privés, des intérêts publics, des intérêts sociaux et sont partenaires de tous les discours qui se tiennent sur la place publique. Certains diront que c'est pour mieux les manipuler; d'autres comprendront que tout discours public, qu'il soit celui des médias ou celui des entreprises, est un discours construit et de ce fait colore nécessairement la réalité décrite.

Toute société s'édifie à partir des échanges et des débats qui s'orchestrent entre des groupes aux vues divergentes qui cherchent chacun à faire triompher ses idées. C'est par les discours qu'ils présentent, par les chefs qui les animent, par les relationnistes qui les font connaître, sinon qui les articulent, que s'expriment les enjeux publics et sociaux, que sont connues les préoccupations de chacun d'entre eux. En ce sens, il est vrai que les relationnistes peuvent, sinon doivent, créer la nouvelle.

Sauf exception, les journalistes prennent le relais des relationnistes. Ils font connaître à la société ce qui est porté à leur attention par les sources. Ils hiérarchisent certes ces faits, mais ce ne sont pas eux qui les créent. Par ailleurs, ils ont le mandat de les mettre en perspective, de les critiquer, de les comparer et de forcer certains acteurs à se commettre sur la place publique.

Sans les sources qui ont appris à faire partager leurs préoccupations avec le reste de la société par l'intermédiaire des médias, sans les relationnistes qui ont appris à construire tout discours de façon à ce qu'il satisfasse aux exigences journalistiques, sans les médias qui servent de miroir, d'amplificateur et de critique à la société, l'information ne circulerait pas.

Les relationnistes se situent au cœur des échanges sociaux. Ils sont devenus un rouage essentiel dans la mise en valeur de toutes les articulations de la société. De ce fait, les relations publiques apparaissent comme un instrument redoutable. C'est par elles qu'ont été animés la plupart des grands développements sociaux qui ont secoué l'inertie de toutes les institutions. Ce sont aussi elles qui ont été utilisées à certains moments pour maintenir une certaine paralysie sociale et politique, pour promouvoir des causes, des idées et des projets qui se sont éventuellement avérés désastreux pour la société.

Comme toute arme, elles peuvent aussi servir des desseins nobles et d'autres moins nobles. Mais les rendre responsables des extrémismes, des malversations et de l'entêtement de certains acteurs marchands, sociaux ou politiques, c'est leur attribuer une force qu'elles n'ont pas.

Cet ouvrage veut jeter un regard sympathique et critique sur ce métier, sur ses grandeurs et sur ses malheurs. Si on doit lui reconnaître des exploits certains, il ne faut pas faire fi de ses erreurs de parcours, ni du fait qu'il ne peut échapper à l'impitoyable rouleau compresseur de ceux qui tirent les cordons de la bourse, c'est-à-dire les grands barons du profit à tout prix et ceux du mépris du citoyen/consommateur.

Le premier chapitre présente ce que sont les relations publiques et où elles se situent dans la famille des métiers de la communication. Le chapitre suivant traite des habiletés de base requises pour exercer ce métier et aborde les techniques et les moyens utiles dans la réalisation de stratégies de relations publiques. Le chapitre 3 explore le panorama des différentes façons d'acquérir une formation adéquate pour pratiquer ce métier. Le chapitre 4 aborde les dimensions de la vie professionnelle. Le chapitre suivant donne un aperçu des images qui décrivent ce métier. Et le dernier chapitre expose les principaux défis auxquels doivent faire face les relations publiques.

À l'étudiant qui aborde le métier de relationniste, ce livre est en même temps une réflexion sur ce qu'est ce métier et un exposé sur ce qu'il devrait être.

À ceux qui pratiquent ce métier, ce livre essaie de ne pas tomber dans le mythe de la toute-puissance des relations publiques utilisées comme une touche magique dès qu'un problème surgit. C'est davantage une réflexion sur le métier qu'un livre de recettes pour réussir. Et c'est en même temps l'occasion d'exposer les aspects dynamiques de cette profession qui, somme toute, mérite une reconnaissance et une image à la hauteur de l'apport qu'elle prodigue à la société.

Aux journalistes dont les cheveux se dressent parfois lorsqu'ils entendent parler des relationnistes, ils comprendront que les relations publiques dans leur ensemble sont engagées dans une voie de grande rigueur, de grande probité et de grande utilité pour les entreprises et les organisations qui animent le tissu social.

À ceux qui sont engagés dans des activités de relations publiques, sans que ce soit leur métier, cet ouvrage permettra de partager la complexité d'une profession que certains ont tendance à réduire à une poignée de main et un sourire accordés au bon moment.

À tous ceux qui sont intrigués par un métier qu'ils connaissent mal, ils trouveront ici les éléments utiles pour apprivoiser son univers.

Cet ouvrage est donc un mélange de réflexions, de théories, de techniques et de recettes. Il veut répondre aux questions suivantes : ce que sont les relations publiques, pourquoi et comment doit-on les utiliser et quels sont les défis et les images qui les investissent.

1

QU'EST-CE QUE LES RELATIONS PUBLIQUES?

Lorsqu'une entreprise, une organisation ou une personne tente d'établir des *relations* de sympathie avec ses *publics*, elle pratique des relations publiques. Prises dans un sens très large, les relations publiques constituent une attitude, une approche et un état d'esprit.

Lorsque la haute direction d'une entreprise inculque à tous ses employés un certain comportement de courtoisie, de politesse, d'attention et de service à la clientèle, elle développe un état d'esprit de nature à faciliter les relations de sympathie entre elle et ses publics.

C'est ainsi que chacun est appelé dans les diverses activités qu'il mène à pratiquer une certaine forme de relations publiques. Lorsque quelqu'un répond par un sourire à un regard insistant, ou tente de séduire, intellectuellement ou avec charme, un employeur éventuel, il cherche à créer une relation de sympathie. Lorsqu'une entreprise commandite un concert rock ou un concert classique, elle veut créer des liens positifs avec le public de ces concerts.

Certaines personnalités possèdent un certain charisme, suscitent une forme d'empathie et savent attirer l'attention et la sympathie de façon naturelle. Dans le monde politique, culturel ou des affaires, des personnalités marquent la scène de l'actualité et d'autres passent sans se faire remarquer. Certaines choisissent de rester discrètes et d'autres exploitent toutes les occasions de se faire remarquer.

Lorsqu'une personne, une entreprise, une cause ne possède pas naturellement ces forces d'attrait, on va tenter de les créer en construisant autour une toile de fond de sympathie. Les relations publiques deviennent alors une *fonction* prise en charge par des professionnels qui ont recours à une multitude de techniques.

Nous allons traiter dans ce livre de cette fonction de gestion qui est devenue dans l'entreprise aussi essentielle que les autres grandes fonctions de gestion que sont les ressources humaines, matérielles, financières et informationnelles.

1. POURQUOI FAIT-ON DES RELATIONS PUBLIQUES?

On a recours aux relations publiques par nécessité. Pour conquérir sa place au soleil, pour se défendre des attaques, pour faire partager ses points de vue, il faut savoir parler, apprendre à écouter et pouvoir communiquer.

Le rôle des relations publiques se définit par le besoin d'être, le désir de paraître et la peur de disparaître. Leur spécificité réside dans le fait de doter les entreprises, les services ou les causes d'une image positive et d'établir des stratégies pour faire face aux défis, aux enjeux et aux problèmes qu'ils affrontent.

Leur raison d'être repose sur quelques principes de base :

- Dans la société, pour exister, il faut d'abord se faire accepter et, pour cela, il faut savoir se mettre en valeur.
- Pour se développer, il faut édifier une image et s'avoir s'imposer.
- Et pour durer, il faut savoir se défendre.
- Mais, avant tout, il faut reconnaître qu'on ne peut vivre sans échange avec son milieu.

Revoyons ces principes de façon plus élaborée pour comprendre pourquoi on pratique les relations publiques.

1.1 Parce qu'on ne peut vivre sans communication

Certaines évidences méritent parfois d'être rappelées. Il n'y a pas de réalité sans communication. Un événement, une idée, un service qui n'est *pas* connu n'existe pas dans la société. Ces mêmes éléments, s'ils sont *mal* connus, sont mal perçus. Ce qui n'est pas connu ou ce qui est mal perçu entraîne des perceptions déformées.

La science de la vie repose sur le principe de communication. Ce qui fait qu'un être existe, c'est d'abord la communication entre deux êtres sexués. S'ils se reproduisent, c'est qu'ils exercent l'un sur l'autre un attrait et celui-ci est fait de parades, d'artifices, de chants, de cadeaux, de séduction et de dons. La sociologie animale et humaine déborde d'exemples tout aussi curieux qu'exemplaires. La reproduction repose d'abord sur l'art de séduire ou d'attirer son partenaire.

De la reproduction, se construisent l'embryon et l'être vivant. Or, depuis que l'on connaît le fonctionnement de l'ARN et de l'ADN, nous savons que la matière vivante se structure par échange d'information. Chaque cellule retire de son environnement les informations nécessaires pour croître. Lorsque l'être vivant apparaît, il continue de se développer par l'information qu'il reçoit de son milieu. Si une information comporte des implications négatives, comme la maladie, l'être va développer des anticorps pour répondre à l'attaque qu'il reçoit. S'il ne les domine pas, l'information pernicieuse poursuivra son chemin et détruira l'organisme.

Le corps social fonctionne de la même façon. L'interaction et l'échange d'information entre chacun des sous-systèmes qui le composent se stabilisent en un certain équilibre qui peut être perturbé par toute information nouvelle. C'est l'information qui crée l'équilibre et le déséquilibre. Désormais, toute organisation, qu'elle soit physique ou sociale, doit vivre en fonction des informations qui circulent.

Or, pour préserver son existence, une organisation doit d'abord faire savoir qu'elle est là. Pour se développer, elle doit séduire son environnement. Et pour ne pas être piégée par les informations qui pourraient lui nuire, elle doit se défendre. Pour faire valoir sa zone d'influence, elle doit conquérir. Et pour régner, il faut qu'elle s'impose.

Dans cette optique, les relations publiques sont un instrument efficace d'échanges d'information même si certains persistent à y voir un outil de manipulation. Le paon qui fait la roue, le pigeon qui roucoule ou l'oiseau qui chante ne font qu'utiliser leurs attraits, pour mieux réussir leur conquête. Pourquoi y voir de la manipulation puisque le fait de séduire ne donne pas automatiquement la victoire. Car ils sont tous en compétition avec des rivaux… Qu'arriverait-il si ces mêmes animaux choisissaient de demeurer silencieux, monacaux, réservés et ternes?

Toute entreprise, dans les sociétés ouvertes, peut revendiquer le droit au silence ou à la parole et, en même temps, s'exposer aux inconvénients et aux avantages de sa prise de position. Dès lors, le recours aux relations publiques devient un choix ou une obligation pour les entreprises et pour les organisations qui désirent participer aux débats publics.

◆ L'obligation de communiquer

La communication est-elle un choix ou une obligation? Cela dépend. Par exemple, il n'y aurait pas de politique sans communication. Certes, les dictatures ont existé. Mais les démocraties occidentales exigent que chacun des partis essaie de se faire connaître par des stratégies de communication bien pensées pour gagner la faveur des électeurs. En fait, la politique est presque essentiellement construite à partir des discours. La politique devient l'art de proposer des avenues les plus propices à acquérir des votes.

Sur le plan économique, c'est la publicité qui est le fer de lance de son dynamisme. Sans la publicité, il n'y aurait pas de consommation de masse, ni de production de masse. C'est par la publicité que l'on fait connaître l'existence des produits à des consommateurs répartis sur de vastes territoires. Et c'est en autant que les produits seront séduisants pour les consommateurs que les entreprises produiront davantage et que l'économie tournera.

Sur le plan social, c'est la communication qui donne la réalité aux causes. Le groupe Pro-vie affirme qu'un avortement est un assassinat; le groupe Pro-choix affirme qu'une femme a le droit de disposer de son corps. Ce sont là deux constructions de la réalité qui s'affrontent.

Lorsque les travailleurs ou les entrepreneurs de la construction, deux ennemis héréditaires, viennent manifester devant le parlement et bloquent les routes, tous veulent attirer l'attention des médias. Mais l'un et l'autre ne se préoccupe guère de l'inconvénient de bloquer ces routes ; ils savent qu'un tel geste va attirer l'attention des médias.

La médecine a aujourd'hui troqué les médicaments contre l'information. On essaie de moins soigner et de mieux prévenir. La médecine se construit autour d'un discours de prévention : faire de l'exercice, manger moins de matières grasses, réduire la consommation de boissons alcooliques, des drogues et des médicaments.

Il n'y a pas de réalité culturelle sans communication. Un artiste n'apparaît sur la scène publique qu'en autant qu'il réponde à la logique médiatique : il fait un spectacle, lance un livre, un disque ou un film, ou se marie, divorce ou meurt. S'il choisit d'être silencieux, on aura tôt fait de l'oublier.

◆ La nécessité d'avoir recours aux médias

Ainsi, pour exister, il faut paraître. Et pour paraître auprès du grand nombre, il faut avoir accès aux médias. Dès qu'une entreprise ou une organisation se prononce sur la place publique, elle est donc confrontée à l'univers médiatique. Car tout discours public doit être médiatisé pour obtenir la plus grande diffusion possible. Et les médias mènent le monde. Dès lors, il y a deux logiques qui s'affrontent : celle des entreprises qui doivent diffuser leur raison d'être et celle des médias qui décident à qui ils vont accorder leur espace. Ces derniers se considèrent, à juste titre, les boucliers face à la domination des divers pouvoirs qui animent la société. Ce qui était au départ une simple raison d'être devient maintenant une lutte de pouvoir.

Par ailleurs, il ne s'agit plus de considérer la pertinence en soi de son propos ; il faut aussi le mettre dans la balance avec celui de ses concurrents et évaluer les chances qu'il soit digne d'être repris par les médias. On parle désormais de stratégie. Il ne suffit plus de dire les choses, les idées, il faut savoir comment les dire et quand les dire. Et il ne suffit plus de se présenter sur la place publique, il faut savoir l'occuper. Ce qui était au départ l'expression d'une idée généreuse devient une guerre de tranchée contre les opinions adverses sur le terrain de guerre animé ou miné par les médias.

On pratique donc les relations publiques par nécessité. On doit s'exprimer, faire face à ses adversaires, affronter la logique des médias. Et tout ça pour en arriver à créer un dialogue avec son public. Ce qui était discours au départ est devenu lutte contre ses concurrents, bataille pour obtenir de l'espace-média et, ultimement, dialogue avec ses publics, ce qui était l'objectif visé. Les stratégies de relations publiques sont autant de manières de se démarquer que des systèmes d'auto-défense.

Et lorsque l'on a réussi à dominer ses concurrents et séduire les médias, comment trouver le langage qui réussira à convaincre le public visé ? Comment créer un dialogue avec des publics si diversifiés, possédant peu ou pas de connaissances sur l'organisation, ses produits, ses services ou ses idées, ayant une attitude plus ou moins positive face à l'objet de la communication, et ne sachant pas pourquoi ils devraient changer de comportement ?

Ce que recherche le relationniste, c'est connaître son public et son milieu, savoir lui transmettre ses préoccupations, ses défis et ses orientations et être capable de faire valoir que ce qu'il lui offre est supérieur à ce qu'il peut trouver ailleurs.

1.2 Pour attirer l'attention

Avant de convaincre le public visé de quoi que ce soit, il faut d'abord attirer son attention. Si le public ne connaît pas l'entreprise, le service, la cause en question, il ne va certainement pas l'adopter. Chaque jour, de nouvelles entreprises naissent, de nouveaux candidats politiques se réveillent, de nouveaux produits sont mis en marché, de nouvelles idées circulent. Pour imposer leur existence, ils doivent se faire remarquer. Et plus ils se font remarquer, plus ils portent ombrage à leurs concurrents qui doivent alors redoubler d'effort pour maintenir l'intérêt et l'attention à leur endroit.

C'est ainsi que les grandes institutions, que les grands produits de masse, vont continuellement essayer d'être présents dans l'environnement de chacun. Que ce soient des compagnies de bières ou de boissons gazeuses, des banques, des compagnies aériennes, elles bombardent le consommateur de messages pour rappeler qu'elles sont là et qu'elles ne veulent pas être oubliées.

L'individu peut attirer l'attention sur lui de multiples manières : par sa façon de s'habiller, de se coiffer. Certains sportifs ont entretenu leur célébrité en variant la teinte de leur chevelure. L'individu peut aussi essayer de mettre en valeur ses idées en les exprimant dans des tribunes de prestige, en se faisant inviter à des émissions de grande écoute.

L'entreprise essayera d'attirer l'attention en créant des événements qui à leur tour monopoliseront les médias. Benetton organise chaque année une conférence de presse pour annoncer sa nouvelle campagne d'affiches. Et celles-ci font le tour du monde avant même d'être exposées sur les panneaux-réclames.

Diverses organisations préparent des manifestations publiques et des marches, bloquent des routes ou occupent des bureaux pour attirer l'attention sur leurs revendications. Sans ces gestes, celles-ci resteraient inconnues du public et des médias.

D'autres ont recours à des idées plus originales. Pour attirer l'attention sur le fait que les taxes faisaient grimper de 85 % le prix des boissons alcooliques, les distillateurs ont fait parader leurs employés dans les rues de Montréal, de manière telle que le groupe dessinait une bouteille. Chacun tenait un parapluie de couleur, la plus grande masse de couleur signifiant les taxes. Cette photo a été reprise par de multiples médias à travers le pays parce qu'elle attirait l'attention de façon visuelle. La nouvelle a fait la première page du *Devoir*, de *La Presse*, et la première page en couleur du premier cahier du *Soleil*. Ce n'était pas tant l'ampleur de la nouvelle qui importait, mais sa mise en scène construite pour répondre aux besoins des médias (exemple 1).

À Londres, pour la promotion du film d'horreur *Le serpent et l'arc en ciel*, on envoya 700 serpents par la poste dans des centres de location de vidéo (exemple 2). Cette idée obtint un double succès : d'une part, les médias en ont parlé jusqu'au Québec ; d'autre part, la Société protectrice des animaux a condamné le geste, ce qui a eu pour effet de donner une plus grande visibilité à l'événement. Cet exemple illustre aussi le fait que chaque geste d'une organisation est surveillé par des organisations à vocation divergente.

Exemple 1

Embouteillage

PHOTO: JACQUES NADEAU

PRÈS D'UN MILLIER de personnes, imitant la forme d'une bouteille, ont manifesté, hier, devant les bureaux du premier ministre Johnson à Montréal pour protester contre le niveau élevé des taxes sur les spiritueux. La manifestation a duré une heure et rassemblait patrons et employés des grandes distilleries, créant de nombreux embouteillages à proximité du boulevard René-Lévesque.

Source : *Le Devoir*, jeudi 18 août 1994.

Exemple 2

700 serpents à la poste pour la promotion d'un film d'horreur

Agence France-Presse

LONDRES

Des centaines de serpents vivants ont été expédiés vendredi matin par une société cinématographique à des propriétaires de magasins de cassettes-vidéos pour assurer la promotion de son dernier film d'horreur, «Le serpent et l'arc en ciel».

La Société protectrice des animaux britannique (RSPCA) s'est élevée contre cette initiative «cruelle et irresponsable» et mis ses inspecteurs en alerte pour venir en aide aux commerçants effrayés de découvrir les reptiles dans leur courrier matinal.

Les serpents, une variété chinoise à la robe argentée parcourue de rayures grises, peuvent atteindre une taille de 90 centimètres. Sept cents doivent être expédiés dans le cadre de cette campagne publicitaire.

«Bien que non venimeux, s'ils ont été récemment importés, ces serpents portent sans doute un grand nombre de parasites qui pourraient être dangereux pour les humains», a affirmé une porte-parole de la RSPCA.

La RSPCA doute également que les reptiles, qui aiment une chaleur constante, survivent jusqu'à la fin de la promotion d'un mois prévue par CIC Video Distributors.

Dans son dépliant, la société affirme que les serpents n'ont pas besoin d'être nourris pendant cette période, mais selon les experts consultés par la RSPCA, ils ont besoin de manger chaque semaine...

Source : *La Presse*, samedi 26 août 1989.

Lorsque IBM a organisé son fameux match d'échecs entre Kasparov et la Deep Blue machine, chaque match a été couvert par l'ensemble des médias de la planète, pendant toute la durée du tournoi (exemple 3).

Pour attirer l'attention sur les dangers de la cigarette, on a érigé, en face du parlement fédéral, à Ottawa, un monument à la mémoire des fumeurs décédés (exemple 4).

Pour se faire reconnaître et accepter, pour se mettre en valeur auprès de ses publics et des médias, les entreprises n'ont plus le choix. Si elles restent silencieuses et discrètes, d'autres plus dynamiques occuperont l'espace public. L'attention des médias est d'autant plus essentielle que c'est le moyen le plus simple de voir son message être multiplié, amplifié auprès des publics à rejoindre. D'où la nécessité de bien maîtriser les relations de presse dans les stratégies de relations publiques.

1.3 Pour informer

Les médias offrent un service à la collectivité en faisant connaître les grandes décisions des entreprises ou la tenue d'événements sociaux, culturels, politiques ou sportifs.

Pour avoir accès à ce service, pour faire connaître ces éléments, il faut concevoir des activités de relations publiques. Ce peut être des lancements, des déclarations officielles, l'émission de communiqués, la tenue de conférences de presse ou la participation à des tribunes publiques.

En fait, dès qu'une entreprise ou une organisation décide d'informer la population d'éléments qui modifient sa structure ou son devenir, si elle sait les énoncer en termes médiatiques, ils seront repris par les médias. Que ce soit l'augmentation du prix du lait, la fusion de deux entreprises, le début d'une grève, le lancement d'un livre ou d'un disque, toute nouvelle intéressera les médias. Ce qui veut dire que les entreprises ou organisations qui n'ont pas acquis le réflexe d'avertir les médias des changements qui les préoccupent n'ont pas droit à une couverture médiatique. Car, si les entreprises n'avisent pas les médias de ces changements, ceux-ci ont peu de chance d'en être informés et en retour d'en informer la population.

Exemple 3

LE SOLEIL — LE DIMANCHE 4 MAI 1997

LE MONDE

L'homme 1, la machine 0
Kasparov remporte son premier match contre Deeper Blue

■ NEW YORK (AP) — L'année dernière, Deep Blue était entré dans l'histoire en devenant le premier ordinateur à battre un Grand maître des échecs. Mais au bout du compte, l'homme —le champion du monde Garry Kasparov— avait eu raison de la machine. Et hier soir, Gary Kasparov a remporté la première partie d'une série de six l'opposant à Deeper Blue, nouveau rejeton d'IBM, encore plus puissant que son prédécesseur, première étape d'une revanche qui mènera les adversaires jusqu'au 11 mai.

L'ordinateur a déclaré forfait après le 45e coup de Kasparov, pour une partie qui a duré un peu moins de quatre heures. Quelque 450 personnes ont assisté sur écran vidéo à cet échange qui se déroulait au 35e étage de l'Équitable Center de New York.

Lors du premier échange de février 1996, à Philadelphie, le Russe Kasparov, 34 ans, considéré par beaucoup comme le meilleur joueur d'échecs de tous les temps, s'était fait laminer par l'ordinateur au premier tour, puis avait remporté le second. La troisième et la quatrième partie s'étaient soldées par un match nul, puis l'homme avait battu la machine aux deux parties suivantes et avait été déclaré vainqueur.

Mais aujourd'hui, selon ses concepteurs, Deeper Blue peut désormais évaluer 200 millions de coups à la seconde... Soit une vitesse de « pensée » deux fois supérieure à celle de l'année dernière. L'ordinateur a également été « entraîné » par Joel Benjamin, grand maître américain, qui a tenté d'insuffler à Deeper Blue ce qui lui avait fait défaut en 1996, une certaine dimension humaine, une certaine compréhension de la psychologie de l'adversaire... L'intelligence artificielle du monstre informatique a en effet été défaite par des paramètres plus abstraits, plus stratégiques.

Et le défi semble aller bien au-delà d'une simple partie d'échecs. Il compte une dimension quasi-éthique, comme le soulignait Kasparov avant cette rencontre au sommet : « D'une certaine manière, je crois que j'essaye de sauver la dignité humaine en disputant cette partie. D'un autre côté, c'est une équipe de chercheurs et de scientifiques qui a créé ce système, et ce sont eux mes véritables adversaires. Voyons ce qu'ils ont pu mettre au point, en matière de logiciel, pour défier la puissance de l'esprit humain. »

Les prochaines parties sont prévues demain, mardi, mercredi, puis les 10 et 11 mai.

Le hasard a donné les blancs à Kasparov pour la première partie. C'est donc l'homme qui a bougé la première pièce sur l'échiquier.

Garry Kasparov, champion du monde depuis 1985, rece-

«J'essaye de sauver la dignité humaine», affirme Kasparov

vra 700 000 $ s'il gagne et 400 000 $ s'il perd. Des sommes mises en jeu par IBM, pour un match qui s'annonce comme le plus médiatique du monde des échecs.

Plus en tous cas que ceux qui, bien qu'historiques, n'opposaient que deux simples cerveaux humains...

700 000 $
s'il gagne,
400 000$
s'il perd.

Source : *Le Soleil*, dimanche 4 mai 1997.

Exemple 4

Le fumeur inconnu

À l'occasion du premier anniversaire de la légalisation de la publicité sur les cigarettes, un jeune étudiant en médecine d'Ottawa dépose une gerbe de fleurs aux pieds d'un monument à la mémoire des fumeurs décédés.

Source : *Le Soleil*, 19 septembre 1996.

Dès lors, faire connaître ses activités, ses décisions, ses réorientations est une nécessité pour les entreprises et les organisations. Sinon, elles s'entourent elles-mêmes d'un mur de silence.

En plus d'utiliser le réseau des médias, les entreprises ont recours à d'autres moyens et techniques, comme les dépliants ou les expositions. Il faut retenir ici que c'est en autant que les entreprises réaliseront des activités de relations publiques qu'on parlera d'elles.

C'est ainsi que la majorité des entreprises et des organisations ont compris l'importance de la communication. Elles savent privilégier la communication à tous les niveaux et dans tous les sens, tant à l'intérieur de la compagnie qu'avec leurs clients, leurs fournisseurs, la communauté qui les entoure et la société en général.

1.4 Pour créer un climat de sympathie

Au-delà de vouloir attirer l'attention pour faire parler de soi et d'informer pour faire connaître ses décisions, toute entreprise désire tisser des liens harmonieux avec ses publics. Car ce n'est pas tout de se faire connaître, il faut aussi se faire accepter. Plus un courant de sympathie passe entre une entreprise et ses publics, plus ceux-ci sont disposés positivement à avoir recours à celle-là.

Les relations publiques cherchent donc à créer un climat favorable entre une entreprise et ses publics interne et externe, à gagner leur confiance, à susciter leur admiration ou leur sympathie, à construire des rapports positifs, à instaurer un climat de compréhension et d'acceptation. Ce faisant, l'entreprise s'attache sa clientèle par des liens émotifs et cherche à maintenir dans l'opinion publique des réactions favorables à son activité, sinon une certaine complicité.

Il est difficile d'évaluer les retombées véritables des activités de relations publiques visant à susciter des liens de sympathie. Par contre, il est indéniable qu'elles existent. Servent-elles véritablement les visées de l'entreprise? Cela n'est pas évident. Mais les relations publiques lui donnent un vernis social de sympathie qu'elle peut exploiter en temps opportun.

Lorsque la région du Saguenay–Lac-Saint-Jean a subi de tragiques inondations, la collectivité québécoise a sympathisé et a voulu manifester sa solidarité avec les sinistrés. On se souvient tous du don de un million de dollars qu'a versé Pierre Péladeau. C'est par sympathie pour eux qu'il a versé cette somme; et c'est par ce geste qu'il est apparu sympathique. Les relations publiques permettent de construire ce capital de sympathie qui, en certaines circonstances, peut bénéficier au donateur.

Ce capital se construit à partir de grands et de petits gestes. Si le vétérinaire qui a «endormi» votre animal de compagnie et qui vous a fait payer cher pour cet acte médical vous envoie un petit mot de sympathie pour le décès de votre compagnon, vous aurez pour toujours une certaine reconnaissance à son égard. De là à lui confier les soins de votre prochain animal de compagnie..., il n'y a qu'un pas.

Qu'arrive-t-il si une entreprise ne se soucie pas de ce capital de sympathie? En principe, rien du tout. Coca-Cola vend du Coke et ne fait pas connaître ses activités sociales et s'en porte bien. Mais on considère toutefois qu'une entreprise qui s'est donné un cadre de référence positif peut mieux se sortir d'une impasse puisqu'elle jouit dès le départ d'un crédit de sympathie. Plus les entreprises donnent d'elles-mêmes une image de bon citoyen, de responsabilité sociale, plus le gouvernement a tendance à leur faire confiance, à les laisser s'autogérer, et même à leur confier des tâches pour lesquelles il se gardait jusqu'à maintenant la maîtrise d'œuvre.

C'est ainsi que les grandes entreprises ont développé, dans les années 1990, un discours environnemental. Elles utilisent du papier recyclé et elles le font savoir. Les composantes de leurs produits sont recyclables et elles s'en enorgueillissent. Elles diminuent la pollution atmosphérique en utilisant de nouveaux procédés et elles le crient sur tous les toits. Quels sont les dividendes qu'elles retirent de ces activités? Il est toujours difficile de les évaluer. Mais les entreprises sont coincées entre leur recherche du profit qui les incite à investir le moins possible dans ce secteur, la critique des groupes environnementalistes qui les pousse à investir le maximum et le gouvernement qui valsera entre les exigences des uns et des autres et entre celui qui aura réussi à obtenir le meilleur capital politique de sympathie et celui qui courtise et soutient le parti politique concerné.

Chaque entreprise doit également cultiver un capital de sympathie à l'intérieur même de son personnel. Cela lui facilitera l'implantation de ses politiques, la résolution de ses problèmes, l'atteinte de ses objectifs et l'atteinte d'un climat de travail positif.

1.5 Pour résoudre un problème

Devant les divers problèmes qu'elle doit affronter, une entreprise peut avoir recours à une foule de moyens pour les résoudre. Or, les relations publiques apparaissent de plus en plus comme une voie originale pour leur faire face.

Pendant la tempête de verglas au Québec, à la fin des années 1990, Hydro-Québec a tenu chaque jour des points de presse multiples afin de mieux gérer la crise. Les dirigeants se sont montrés sur les lieux du sinistre, vêtus d'un col roulé, pour donner l'impression qu'ils étaient descendus de leur piédestal pour mieux affronter la crise.

Lorsque le père de Cecilia Tran fut emprisonné au Viêt-nam, au milieu des années 1990, elle fit circuler une pétition pour libérer son père. La jeune Larivière avait fait de même pour combattre les effets de la violence dans les médias à la suite du décès tragique de sa jeune sœur.

Que fait une entreprise comme Perrier lorsqu'elle trouve du benzène dans ses bouteilles d'eau pure? Que fait Chrysler lorsqu'il se voit accusé d'avoir faussé les compteurs de tours de ses voitures d'essai? Que font les grandes corporations professionnelles lorsque quelques-uns de leurs membres sont accusés de manquer à leur devoir? Que font les compagnies papetières lorsqu'elles sont accusées de ne pas tenir compte de l'environnement? Que fait l'ex-premier ministre du Canada, M. Brian Mulroney, lorsqu'il est soupçonné d'avoir accepté des pots-de-vin? Que font les autochtones dans leur lutte pour mieux protéger leurs droits? Dans tous les cas, les uns et les autres ont eu recours à des activités de relations publiques pour mieux gérer la crise. De façon plus précise, les activités organisées avaient pour but de gérer l'opinion publique de façon à ce qu'elle leur soit favorable. C'est ce qu'on appelle la gestion des enjeux.

1.6 Pour gérer un défi

Toute entreprise ou toute organisation nourrit des projets, se fixe des objectifs à court et à long terme, fait face à de nouveaux défis. Qu'il s'agisse d'une fusion, d'un combat de syndicalisation pour les employés d'une entreprise, d'une bataille d'un groupe de citoyens contre la pollution d'une entreprise établie dans leur quartier, le recours au processus judiciaire ou réglementaire s'impose comme première étape du processus. Mais, dans le cas d'une fusion, comment rassurer les actionnaires, les partenaires, les employés? Dans le cas d'une lutte pour la syndicalisation, comment convaincre l'opinion publique de soutenir le mouvement ouvrier? Dans le cas d'une bataille contre la pollution, comment s'assurer que les lobbys des grandes entreprises n'auront pas raison des petites gens devant les instances gouvernementales?

C'est ici que les relations publiques deviennent des outils essentiels pour gérer ces enjeux. Elles apportent une dimension sociale à chacun de ces défis. Et c'est souvent celle-ci qui sera la clef de la solution.

Lorsque le défi est d'ordre commercial et consiste à faire connaître un produit ou un service, à le faire essayer ou acheter, les relations publiques marketing vont utiliser des approches de promotion et de vente. Elles deviennent un instrument d'affaires. Au-delà des relations de presse, on aura recours à des démonstrations, à des concours, à des expositions; on donnera des bourses portant le nom de l'entreprise et on commanditera des événements. L'objectif poursuivi est de faire connaître le nom du produit et de l'entreprise et de le faire vendre.

1.7 Pour développer une image

Aux yeux du citoyen-consommateur, l'image revêt souvent une dimension aussi importante que le fond. Les seules évocations de Holt Renfrew et de Zellers renvoient à deux images différentes. Les quartiers d'une ville ont tous développé leur personnalité et ne symbolisent pas tous les mêmes valeurs. Une marque connue est un gage de sécurité devant un choix à faire.

Si une entreprise a mauvaise réputation, si elle donne l'impression d'exploiter ses employés, de produire des biens de mauvaise qualité et de peu se soucier des plaintes de ses clients, elle devra tôt ou tard rendre des comptes à ceux-ci qui risquent de la bouder.

Par ailleurs, une société comme Benetton donne l'impression de s'intéresser aux causes humanitaires et jouit ainsi d'un capital image plus positif, même si certaines de ses affiches ont animé la controverse. À l'inverse, cette entreprise est plus vulnérable si elle pose des gestes qui viennent en contradiction avec l'image projetée. L'utilisation d'enfants dans ses usines du tiers-monde a été l'objet de vives critiques.

Pourquoi choisit-on un restaurant plutôt qu'un autre? C'est souvent parce qu'il a une meilleure réputation. D'autres établissements, peut-être supérieurs à celui-là, mais qui n'ont pas atteint sa notoriété, se verront moins fréquentés.

Imperceptiblement, l'image devient le moteur de plusieurs choix. Qu'est-ce qui justifie l'achat d'une voiture plutôt qu'une autre à prix égal? Entre une Lada et une Hyundai, laquelle a meilleure image?

L'image est le produit d'un ensemble de facteurs. Certains peuvent être contrôlés par l'entreprise elle-même. Celle qui ne s'en préoccupe pas, ou qui croit que cela a peu d'importance, laisse à d'autres le soin de développer une meilleure image. Car, de plus en plus, la concurrence se fait vive dans tous les secteurs de l'activité humaine. Le succès appartient à ceux qui ont une meilleure image.

Pourquoi les jeans Levi's n'ont plus la cote chez les adolescents américains? Alors qu'ils détenaient en 1990 presque 50% du marché, quelque dix ans plus tard, il ne leur en restait plus que 26%. Parce qu'ils sont restés collés à une image qui est dépassée, leurs jeans ne sont pas assez colorés, pas assez fantaisistes, explique un analyste. D'autres diront qu'en employant des enfants dans ses usines la compagnie a, elle aussi, perdu un certain capital de sympathie.

Pourquoi certains titres en bourse marchent-ils mieux que d'autres alors qu'ils ne sont pas plus rentables? Parce qu'ils ont aux yeux des investisseurs une meilleure image, ils inspirent davantage confiance.

Or, cette image se construit en partie par la personnalité de l'entreprise, mais aussi par les activités de relations publiques qui s'y greffent.

1.8 Pour se défendre

Pour exister, se développer et se faire valoir, les entreprises doivent donc mettre en œuvre des stratégies de communication. Mais voilà, la société étant ainsi faite, les entreprises et les organisations doivent aussi se battre pour maintenir leurs prérogatives et leurs succès et pour faire face à leurs concurrents ou leurs adversaires.

Dans la société, plus personne n'est à l'abri de compétiteurs. Pepsi fait la guerre à Coca-Cola. Le groupe Pro-vie fait la guerre au groupe Pro-choix. Le Parti libéral fait la guerre au Parti québécois. Les voisins se plaignent de l'usine qui veut se construire à côté d'eux ; et se plaignent du bâtiment historique qu'on veut détruire à côté d'eux.

Bien des groupes sans voix ont réussi à se tailler une place grâce à leurs revendications. C'est le cas entre autres pour les travailleurs, les minorités (qu'elles soient ethniques, culturelles ou sociales) et, autrefois, les femmes et les non-fumeurs.

Les médias ont presque toujours été à la remorque de ces groupes sociaux qui ont utilisé toutes les stratégies de relations publiques pour avoir droit au chapitre.

Les entreprises évoluent sur un terrain de lutte continuel. Le géant américain Microsoft est attaqué par le gouvernement et ses compétiteurs pour concurrence déloyale. Les médias surveillent avec appétit tous les faux pas des grands de ce monde. Les concurrents se surveillent et se dénoncent. Les citoyens-consommateurs se liguent contre les atteintes à leurs valeurs. On a vu d'honnêtes résidents se battre avec vigueur pour ne pas voir une maison de transition pour sidéens, pour déficients mentaux, pour toxicomanes ou pour ex-détenus s'établir dans leur quartier.

Ce sont là les difficultés que rencontre toute organisation pour se maintenir. Elle doit donc se défendre, contre-attaquer, se tenir sur ses gardes. Et comme elle doit affronter le tribunal de l'opinion publique, elle ne peut rester passive. D'où la nécessité d'établir des stratégies de communication pour faire face à ces attaques.

1.9 Pour influencer l'opinion du public

Il semble désormais évident que l'enjeu des stratégies de relations publiques est de mobiliser l'opinion du public, car quelque part, même si celle-ci a trop souvent peu d'importance dans les décisions, c'est toujours elle qui peut avoir le dernier mot.

Pour pouvoir influencer le public, encore faut-il le connaître. Il faut savoir susciter ses réactions, obtenir l'expression de ses opinions, savoir les analyser et être capable de s'y adapter. En fait, il s'agit d'infléchir l'opinion du public dans le sens des objectifs de l'entreprise.

Si une entreprise laisse à d'autres le soin d'orienter l'opinion du public, elle sera victime de l'angle de perception que ces entreprises concurrentes mettront de l'avant. Il ne faudrait pas croire pour autant que le public accepte et assimile toutes les informations qui lui sont communiquées. Il en reçoit chaque jour de si contradictoires qu'il ne peut les absorber toutes sans devenir une véritable girouette. Il fait un choix. Mais toute entreprise ou organisation doit présenter sa vision des choses, si elle ne veut pas que le public choisisse sans connaissance de cause.

Dans une entreprise, le soin de jauger ce que le public pense appartient aux relations publiques. C'est ce service qui surveille les états d'âme du public, ses sautes d'humeur, ses impatiences et ses engouements. Et s'il les surveille, c'est pour mieux les orienter; de ce fait, les relations publiques deviennent un processus d'influence.

1.10 Pour répondre aux journalistes et au public

Lorsqu'un journaliste téléphone dans une entreprise et que personne ne lui retourne son appel, il s'indigne. Régulièrement, lors de reportages sur divers sujets, on retrouve la petite phrase suivante, incriminante ou justificatrice : «Au moment de mettre sous presse (ou d'aller en ondes), le bureau de la présidence n'avait pas retourné notre appel». Nous disons incriminante, car cela sous-entend que l'accusé préfère garder le silence. Nous disons justificatrice, car cela permet au journaliste de publier sa nouvelle sans en avoir confirmé l'exactitude. C'est pour cette raison également que des services de relations publiques sont mis sur pied : pour pouvoir répondre rapidement et adéquatement aux journalistes, mais aussi aux consommateurs, aux collectivités et aux chercheurs qui désirent obtenir des informations, formuler des remarques ou confirmer des rumeurs ou des hypothèses.

Sans ces services, chacun devrait se battre dans les dédales des organisations pour trouver la bonne personne qui possède la bonne réponse. Certains journalistes s'étonnent que le bureau de la présidence ne soit pas disponible en tout temps pour répondre à leurs questions. Ils oublient que le premier devoir d'un président n'est pas d'être disponible pour les médias, mais de bien faire fonctionner l'entreprise. Et c'est souvent en moment de crise, donc au moment où l'attention de la présidence est accaparée à résoudre la crise, que les médias demandent le plus. D'où la nécessité d'avoir des porte-parole et de tenir compte du fait que l'entreprise n'est pas le pôle de référence du tissu social et qu'elle doit aussi conjuguer avec les exigences de ses partenaires sociaux. En temps de crise, l'entreprise doit certes penser à elle-même, mais elle doit absolument tenir compte des publics touchés par la crise, des gouvernements qui veulent avoir des explications et des médias qui doivent renseigner la population.

Certains chefs d'entreprise ont compris l'importance de combiner leur devoir premier avec la nécessité de satisfaire celui des médias. Et ils en ressortent avec une image fortifiée. Ceux qui résistent sont jetés au pilori. Le cas célèbre de l'entraîneur de l'équipe de soccer de France, au Mondial de 1998, qui considérait son rôle d'entraîneur supérieur à celui d'animateur des journalistes, a révélé les effets pervers de cette attitude. D'une part, il subit le déchaînement presque haineux des médias et, s'il n'avait remporté le Mondial, il était voué aux gémonies pour le reste de ses jours. D'autre part, en exploitant indûment le fameux droit du public à l'information, certains journalistes, en mal de copie, ont aussi jeté, dans ce cas, le discrédit sur leur profession. L'entreprise a aussi un droit de réserve qui devrait être respecté. Mais, si elle ne se soucie pas de la réalité des médias, elle doit aussi en assumer les conséquences.

Les médias ont un rôle social à jouer, soit celui de surveillance du milieu et de chien de garde de la démocratie. De ce fait, les entreprises, les organisations et les personnes qui évoluent sur la scène publique doivent aussi leur apporter leur concours.

1.11 Pour faire face à la complexité socio-économique

À la suite de ces propos, il appert que les relations publiques se présentent comme une nécessité pour toute entreprise ou organisation. Mais il faut aussi comprendre qu'au-delà de ses propres préoccupations l'entreprise est interpellée par l'ensemble du contexte socio-économique.

◆ La structure sociale

Notre société est plus complexe et plus mouvante que par le passé. Cela signifie que de plus en plus de groupes se constituent en fonction de caractéristiques et d'intérêts particuliers (les travailleurs, les femmes, les minorités, les homosexuels, les défenseurs de l'environnement, les agents régionaux, les hommes d'affaires, etc.). Chacun de ces groupes de pression détermine ses propres objectifs qu'il ne peut atteindre qu'en interaction avec d'autres groupes. Cette imbrication des publics rend la communication plus délicate et l'oblige à revêtir des formes variées. Les personnalités politiques, par ailleurs, doivent naviguer à la recherche d'un équilibre précaire entre toutes ces composantes et trouver les langages qui conviennent à chacun.

◆ Les consommateurs

Les consommateurs ont une attitude ambiguë. Leurs achats sont souvent impulsifs et capricieux, mais aussi rationnels et calculés. Leurs choix se font tantôt à partir de coups de cœur ou de mode, parfois à partir de critères plus rationnels, plus logiques. Ils sont aussi appuyés par des mouvements de protection des consommateurs. Nader et le consumérisme aux États-Unis ont donné naissance à une nouvelle conscience du consommateur. Des organismes publics et semi-publics (ministères de la Consommation, associations des consommateurs), des publications, des lois, des réglementations conduisent les consommateurs à une attitude moins passive devant les produits, les services et les idées et les citoyens à une acceptation moins automatique devant les décisions. Si l'on ajoute un niveau d'éducation plus élevé ainsi que l'accès à des sources d'information plus variées (accroissement des canaux télévisés, accès plus facile aux voyages et aux événements internationaux), on voit apparaître un consommateur-citoyen d'une crédulité ou d'une méfiance parfois excessive, sans qu'il soit toujours facile d'en comprendre les raisons.

Il n'hésite pas à manifester son mécontentement et son engouement et, de ce fait, influence directement certaines décisions. L'opinion publique a incité plusieurs grandes entreprises à retirer leur publicité de miniséries dont elles désapprouvaient l'intrigue.

◆ Le journalisme

De plus en plus, les journalistes travaillent en temps réel. Les événements se déroulent en direct. Ils recherchent des informations, des réactions, des commentaires sur-le-champ. Pour préparer chaque jour les quotidiens et les bulletins d'information électroniques, le temps de collecte et de mise en forme de l'information est réduit. Les journalistes exigent des faits, des chiffres, des exposés précis d'une situation permettant de comprendre et de situer une décision dans son contexte. L'information doit être la plus complète possible, vraie et fiable plutôt que partielle et partiale.

Le relationniste est mandaté par l'entreprise pour faciliter la tâche des journalistes, chercher l'information, trouver la ressource interne qui pourra répondre le plus adéquatement à sa requête. Dans les situations délicates, il est talonné par des dizaines de journalistes. Et c'est parfois sur lui que repose la tâche de parler au nom de l'entreprise.

Dans les situations courantes, la capacité du relationniste à répondre rapidement et à fournir des informations pertinentes en fera un interlocuteur privilégié. Sinon, il sera boudé par les médias qui iront chercher chez un concurrent les compléments d'information et les réactions qu'ils recherchent.

Par ailleurs, les journalistes ont appris à travailler avec les relationnistes. Dans certaines situations, ils ont établi une certaine complicité ; ailleurs, une réelle méfiance. Ces attitudes ont des conséquences sur le travail des relationnistes et les obligent à repenser l'information qu'ils diffusent.

◆ Les restrictions budgétaires

Avec les restrictions budgétaires qui obligent les entreprises à faire des choix plus judicieux dans tous les secteurs d'activité, on cherche des moyens de communication efficaces, judicieux et peu coûteux. Étant donné que les activités de relations publiques peuvent s'organiser à peu de frais et qu'elles sont accessibles aux petites comme aux grandes organisations, elles sont devenues un outil de gestion recherché.

◆ La prévention

Pour prendre l'exemple de la médecine, la communication efficace est d'abord préventive. Attendre que le problème soit là pour le résoudre amène plus de difficultés que de tenter de prévoir les problèmes que les choix et les décisions d'une entreprise risquent de créer. Il est bien difficile d'atteindre des objectifs précis lorsque l'on est constamment sur la défensive et si les actions ne sont que des réactions à des événements extérieurs sur lesquels l'entreprise n'a aucun contrôle.

Tous ces éléments contribuent à ce que les relations publiques deviennent une réelle nécessité dans les entreprises et les organisations.

2. CE QUE SONT LES RELATIONS PUBLIQUES

Nous avons vu que les relations publiques servaient à de multiples fins et qu'en fait toute entreprise ou organisation devait se plier à cette réalité. Les exigences de la vie moderne en société imposent à toute organisation le devoir d'être présente, transparente, active et généreuse. Mais comprendre l'importance du rôle des relations publiques dans la gestion d'une entreprise ou d'une organisation ne nous dit pas ce que sont les relations publiques. Avant de présenter une définition plus formelle, nous allons tenter de cerner la réalité des relations publiques.

Si l'on accepte la définition la plus courante des relations publiques, soit celle qui consiste pour une organisation à tisser des liens de sympathie entre l'entreprise et ses publics par des communications, on se trouve devant une activité complexe qui se conjugue à partir de plusieurs paramètres.

2.1 Un état d'esprit

Nous avons signalé au début de ce chapitre que les relations publiques constituent autant une attitude, une approche qu'un état d'esprit qui peut être partagé par tous les partenaires d'une entreprise.

Les relations publiques ne se définissent donc pas uniquement par des techniques. Elles n'occupent pas un champ d'action qui leur est exclusif. Leur originalité réside dans les buts qu'elles poursuivent, soit de créer un climat de confiance entre une entreprise et ses publics.

Avoir la parole facile en public, posséder l'art de se faire des amis, savoir écrire sans fautes constituent différentes qualités d'un relationniste. Mais, si ces qualités ne servent qu'à gonfler «l'ego» d'un individu, il sera un piètre relationniste. Car son rôle, c'est de tisser des liens, non de parader.

C'est donc d'abord un état d'esprit qui habite le relationniste, tout comme il devrait habiter tout le personnel d'une entreprise. Le client d'un magasin ou d'un restaurant est en liaison avec un vendeur, un serveur et non pas avec le relationniste. Et l'on se rend compte que la majorité des liens qu'entretient le public avec une entreprise passent par les employés. Or, ceux-ci doivent aussi être imprégnés de la philosophie d'accueil, de respect, de sourire et de politesse qui s'impose aux entreprises.

Lorsqu'un président d'entreprise refuse de parler aux médias, c'est qu'il n'a pas intégré l'état d'esprit nécessaire pour faire des relations publiques. Les entreprises qui réussissent à mettre en valeur une image positive et non artificielle sont celles qui ont inculqué une philosophie d'ouverture à leurs employés.

Il s'agit donc d'une approche, d'une façon d'être qui consiste, pour une entreprise ou une organisation, à vouloir créer un sentiment de sympathie avec ses publics et à mettre sur pied des pratiques à cet effet. Celles-ci peuvent concerner le mode vestimentaire retenu, la façon de traiter le client ou de conclure une vente.

2.2 Un outil de gestion

Si les relations publiques se manifestent par une manière d'être et de se comporter face aux publics de l'entreprise, elles remplissent aussi une fonction de gestion, c'est-à-dire qu'elles participent à l'élaboration des choix décisifs de l'entreprise. Elles l'aident à les faire connaître et, surtout, à les mettre en œuvre. Il faut se rappeler que la communication est d'abord et avant tout un rapport entre deux partenaires. Ne pas s'en servir, c'est se priver d'un outil de base.

Comment gère-t-on la présence de l'entreprise à la bourse par les communications? Comment gère-t-on ses contacts avec les actionnaires par les communications? Comment gère-t-on le climat de travail à l'interne par les communications? Comment gère-t-on l'image à l'externe par les communications? Il ne s'agit donc pas uniquement de faire connaître un produit, une décision, une idée. Il faut participer à sa définition.

La prise de décision

Le premier geste à entreprendre dans une entreprise n'est pas de savoir *comment* une information doit être diffusée, que ce soit le lancement d'un nouveau produit, l'annonce d'un nouveau service ou le partage d'une nouvelle idée, mais bien de décider de poser de tels gestes. Or, à cette étape de la prise de décision, les relations publiques devraient pouvoir jouer un rôle conseil et stratégique.

◆ L'effet de la décision sur le milieu

Avant même de prendre une décision, il faut être en mesure d'en évaluer l'effet sur le milieu, d'en prévoir les inconvénients et les avantages. Quelle sera la réaction des publics et des partenaires et comment pourra-t-elle affecter l'entreprise ou l'organisation?

Pour être en mesure de bien jouer ce rôle, le relationniste doit exercer un rôle de surveillance de l'environnement et bien connaître les différents publics. Cette tâche lui appartient en propre dans une organisation. Aujourd'hui, on ne construit plus une usine où l'on veut; et l'on ne détruit pas un bâtiment comme on veut. Même la coupe des arbres est surveillée par les gens qui se soucient de leur environnement. Désormais, il est préférable d'essayer de connaître les états d'âme du public avant d'entreprendre une action, plutôt que de combattre ensuite l'hostilité d'un milieu qu'on n'a pas su déceler.

Mais que veut dire gérer son environnement? Ça veut dire *agir* sur son milieu plutôt que de *subir* son milieu. Et ceci est aussi vrai à l'intérieur qu'à l'extérieur d'une entreprise. Il faut donc se poser des questions comme : le moment est-il bien choisi? L'idée sera-t-elle acceptée par le public? Le terrain social est-il fertile pour recevoir l'idée?

◆ L'opportunité de faire connaître la décision

Certaines décisions peuvent être prises sans qu'il ne soit nécessaire ou obligatoire de les rendre publiques. Ainsi, l'augmentation des salaires des cadres d'une entreprise privée relève d'une décision administrative. Mais est-il opportun de faire connaître cette décision? D'un côté, cette annonce peut avoir pour effet de démontrer que cette entreprise est prospère, que les affaires vont bien et que, par sa politique de salaire, elle sait attirer les ressources les plus compétentes. Mais elle peut aussi susciter l'effet inverse et laisser croire que plus ces gens sont payés cher, plus le prix des produits ou services de cette entreprise sont élevés. Quelle attitude choisir : se taire ou parler?

◆ Quel est le meilleur moment pour faire connaître la décision?

Une décision peut être justifiée en soi, mais elle peut paraître tout à fait inacceptable si elle est diffusée dans un contexte inapproprié. Selon la façon dont une décision pourra être perçue et interprétée, selon la réaction prévue du public, on décidera du moment le plus favorable pour la faire connaître. Ainsi, l'annonce d'une politique sociale en pleine finale de la coupe Stanley risque de passer inaperçue. Et l'annonce d'un nouveau plat préparé pour un animal domestique au moment où les nouvelles ne parlent que de famine dans un coin du globe peut paraître inopportune. Une personnalité politique peut décider de ne pas solliciter de nouveau mandat, mais attendre des mois, sinon des années avant de l'annoncer, selon l'effet recherché.

◆ Préparer un terrain fertile

Faire connaître une décision constitue une opération de routine dans le monde des relations publiques. Mais préparer le terrain pour que la décision soit bien acceptée relève d'une approche plus complexe. Enfin, faire en sorte que la décision entraîne une adhésion positive chez le public nécessite une stratégie longuement mûrie.

La préparation d'un terrain fertile, apte à recevoir l'information, relève de la gestion d'une décision. Prenons le cas de l'annonce d'une nouvelle politique. On peut, comme cela se fait traditionnellement, procéder à un lancement à grand déploiement et croire, parce que la couverture de presse fut bonne, que l'opération a été réussie. Mais qu'a-t-on fait au départ pour s'assurer que la politique ne serait pas rejetée ? Qu'a-t-on fait avant pour préparer un terrain d'accueil fertile pour que la politique soit acceptée ? Et qu'a-t-on prévu après pour que la politique soit implantée ? C'est ici que les relations publiques prennent leur véritable dimension.

On gère les programmes, les produits, les services, les idées en utilisant les communications non seulement pour les faire connaître, mais aussi pour les faire adopter et pour faire diminuer les erreurs d'interprétation.

Comment créer un terrain fertile ? D'une part, en partageant le problème avec son public avant de lui imposer des solutions. Reconnaître le problème à résoudre est l'étape première à franchir. Lorsque le public partage le problème, il est plus ouvert aux solutions qu'on lui propose pour le résoudre. Si ces propositions lui sont présentées comme des choix possibles, il se laissera séduire ou convaincre par leur pertinence. Lorsque viendra le temps d'opter pour une solution définitive, il y a de bonnes chances qu'il accepte celle qui lui sera présentée comme la plus raisonnable pour résoudre le problème qu'il a maintenant assimilé.

◆ L'implantation de l'idée

Lorsque le problème est partagé par le public, que la solution proposée pour le résoudre est acceptée, il ne faut pas croire que tout est terminé. Il faut maintenant implanter l'idée, s'assurer qu'elle a fait son chemin et qu'elle a été adoptée.

Tous ces phénomènes font que les relations publiques sont devenues pour l'entreprise un outil de gestion qui l'aide à *gérer* l'ensemble de ses préoccupations, et non plus seulement à les faire *connaître*.

La gestion des enjeux

Chaque année, une entreprise ou une organisation se fixe des priorités, se donne des objectifs, adopte des politiques, affronte certains défis, livre quelques batailles, subit quelques crises et commet certaines erreurs. Elle demande donc à sa direction des communications comment elle peut satisfaire ces enjeux. Il ne s'agit plus de faire connaître, mais de gérer ces éléments.

Aujourd'hui, on gère l'image d'une entreprise et ses erreurs par la communication. McDonald's fait savoir par communiqué à la population qu'il consacre, une journée donnée, les profits de la vente d'un de ses produits à une œuvre de charité. Un grand restaurant de Montréal, soumis à l'amende pour avoir maintenu ses cuisines dans un état d'hygiène douteuse, organise une journée portes ouvertes pour présenter ses cuisines reprises en main et en profite pour servir un repas gratuit à tous ceux qui se donneront la peine de venir constater la propreté exemplaire des lieux en question.

On gère les conflits de travail par la communication. Le patron fait connaître ses difficultés financières. Les employés font connaître les conditions de travail qu'ils jugent inacceptables et auxquelles ils sont soumis. Chacun veut amener l'opinion publique à l'appuyer.

De plus en plus, sur le plan médical, on gère la santé par la communication. Les campagnes de prévention contre le sida, contre les drogues, contre le cholestérol, contre les maladies cardiovasculaires éloignent le patient du médecin et le rapprochent de la santé.

Les entreprises inscrites à la bourse, celles qui lancent des offres publiques d'achat hostiles ou amicales, gèrent leurs opérations par les communications. La seule annonce d'un changement dans une entreprise peut faire évoluer le cours de ses actions.

C'est ainsi qu'on aura recours aux relations publiques pour gérer le changement, gérer une crise, gérer le climat de travail à l'intérieur d'une entreprise, gérer l'image de l'entreprise et sa réputation.

Les relations publiques facilitent l'atteinte des objectifs recherchés car elles savent analyser les comportements des publics, les comprendre et les faire accepter aux entreprises qui s'adapteront en conséquence. Les relations publiques s'avèrent rentables parce qu'elles peuvent même prévoir et éviter certaines crises et ainsi protéger l'image plutôt que d'avoir à la refaire.

2.3 Un savoir-faire

Les relations publiques s'expriment par la mise en valeur des entreprises et elles s'exercent par un ensemble de techniques qu'il faut apprendre à maîtriser. Que ce soit l'organisation d'événements, les relations de presse, la tenue d'expositions ou la publicité, ces techniques constituent le coffre à outils du relationniste. Elles servent à mettre en œuvre les stratégies choisies.

Nous avons donné quelques exemples au début pour montrer qu'il est possible, avec une idée originale et une bonne maîtrise des relations de presse, d'attirer l'attention du public sur une entreprise, un événement, une idée, une cause. En fait, avec le savoir-faire des relationnistes, la réalité publique se structure au jour le jour. La presque totalité des informations que diffusent les médias proviennent d'activités de relations publiques. Ce sont les personnalités, les entreprises, les groupes d'intérêt qui interpellent jour après jour les médias. En fait, ce sont les sources d'information qui alimentent les journalistes.

◆ Une négligence

Le corollaire de ce pouvoir, c'est que les relationnistes sont étroitement surveillés par les journalistes. Et toute négligence entraîne des effets négatifs ou des effets boomerang. En fait, les erreurs sont montées en épingle, deviennent la nouvelle et évacuent complètement la raison d'être d'une manifestation, d'un événement ou d'une rencontre.

Quelques négligences ont eu, par le passé, des échos embarrassants. On se souviendra que, lors du championnat mondial de baseball auquel participaient les Blue Jays de Toronto, le drapeau canadien fut monté à l'envers à son mât. Le président américain a dû s'excuser auprès de la nation canadienne pour cet affront. On raconte également cette histoire du premier ministre du Québec qui devait déposer une gerbe de fleurs au monument du soldat inconnu, à l'Arc de triomphe à Paris. La cérémonie avait été organisée avec beaucoup de panache, la garde républicaine était présente. Mais on avait oublié d'apporter la gerbe de fleurs...

Lorsque la reine d'Angleterre a été reçue à la Maison-Blanche par le président de l'époque, M. George Bush, on avait négligé de prendre en considération que M. Bush était beaucoup plus grand que la reine et l'on avait utilisé le podium et le lutrin fait sur mesure pour le président. Résultat : on ne voyait de la reine que son chapeau qui dépassait le lutrin. Les médias ont fait état de cet incident autant que des propos tenus par la reine.

Lors d'un dîner bénéfice organisé à New York par les amis de l'Université Bar Ilan d'Israël, on remit aux personnes présentes une brochure décrivant l'université. Comme le meurtrier du premier ministre Yitzhak Rabin avait étudié à cette université et que le premier ministre lui-même avait déjà reçu un diplôme honorifique de cette même université, on décida d'inclure dans la brochure un mot de sympathie en mémoire du premier ministre assassiné. Mais personne ne s'était donné la peine de vérifier le contenu de la brochure alors que la photo de l'assassin y figurait 12 fois, présenté comme un élève type de l'université.

Le savoir-faire des relations publiques, dans ses plus petits détails, exige une grande rigueur dans l'organisation de manifestation.

◆ L'effet boomerang

L'effet boomerang, ce choc en retour, se produit lorsque l'entreprise obtient exactement le résultat inverse de ce qu'elle prévoyait. Ceci peut être le résultat d'une maladresse, d'une mauvaise analyse de la situation ou d'un événement fortuit.

Comme maladresse, on peut citer une phrase malheureuse de Lise Payette. Lorsqu'elle était ministre, elle avait qualifié madame Ryan, la femme du chef de l'opposition d'alors, d'une Yvette, faisant ainsi allusion au personnage dépassé des livres d'école d'antan. Quelques jours plus tard, 15 000 Yvette envahissaient le forum pour protester contre cette image. Le Parti libéral avait complètement renversé l'image négative lancée par la ministre en un geste de grande solidarité pour la personnalité de madame Ryan.

L'histoire la plus cocasse d'une mauvaise analyse de la situation provient certainement de ce bon samaritain, travaillant dans l'usine de traitement des eaux usées d'Ottawa, qui a, un jour, trouvé un dentier dans les filtres. Dans un geste de grande générosité, il a fait savoir au quotidien de la capitale son intention de le rendre à son légitime propriétaire. Résultat : le propriétaire s'est manifesté, mais l'employé fut littéralement harcelé des jours durant par des dizaines de personnes ayant perdu toutes sortes d'objets...

Rappelons enfin l'histoire du fabricant d'automobiles Fiat voulant introduire en Espagne son modèle Cinquecento destiné aux femmes de 20 à 28 ans. Fiat avait envoyé à 50 000 d'entre elles une lettre anonyme sur du papier rose. La lettre disait notamment : «Hier soir, nous nous sommes croisés dans la rue et j'ai remarqué que tu me regardais avec intérêt. J'ai besoin de te connaître et que tu me connaisses. Veux-tu que nous ayons une petite aventure ? Je suis sûr que nous sommes faits l'un pour l'autre. J'ai besoin d'être avec toi seulement quelques minutes».

«La campagne eut un effet désastreux, écrit François Perrault dans *Info Presse*. De peur d'être agressées, des femmes sont restées chez elles alors que d'autres ne sortaient qu'accompagnées de leur mari. Les lettres ont également entraîné de nombreuses scènes de maris jaloux.» Fiat a choisi d'annuler cette campagne et a présenté des excuses aux destinataires.

◆ Entre la stratégie et le soutien

Il appartient au relationniste de proposer les stratégies les plus adéquates pour faire face aux défis et aux problèmes d'une organisation. En collaboration avec la haute direction, c'est lui qui recommande les pistes à suivre, les messages à véhiculer, les cibles à atteindre. Or, toutes ces approches ne relèvent pas de l'intuition, mais d'une connaissance fine des stratégies et des techniques.

Par ailleurs, le relationniste doit aussi accorder un soutien et une coordination aux activités des autres directions de l'entreprise. Il est le spécialiste vers lequel on se tourne pour mettre en œuvre les propositions qui peuvent venir de toutes les directions et de tous les services d'une organisation.

Enfin, il exerce une fonction d'exécution. Après avoir suggéré des stratégies ou reçu des commandes, il doit maintenant les réaliser et exécuter les programmes proposés. Or toute la panoplie de techniques de communication est à sa disposition : dépliant, affiche, vidéo, publicité, exposition, objet promotionnel. Le relationniste doit faire son choix parmi ces techniques et ensuite voir à leur exécution.

Les relations publiques vont donc osciller dans leur définition entre une attitude positive, une fonction de gestion stratégique et la pratique d'un ensemble de techniques de communication.

2.4 Un art et une science

«Taxer les livres, c'est imposer l'ignorance.» Voilà un magnifique slogan qu'aucun manuel, aucun cours ne permettra de construire. Car il relève de l'imagination, de l'activité créatrice de son concepteur.

Si les techniques et les stratégies s'articulent autour de paramètres connus, ce qui fait la force d'une bonne campagne de relations publiques, c'est la découverte d'une idée, la construction d'un événement, la conception d'un texte, la richesse d'une photographie.

C'est en ce sens que les relations publiques sont un art qui permet de convertir les analyses de situations et les stratégies mûrement réfléchies en créativité, en symbolique, en imaginaire, en séduction, en rêve, en adhésion, en prosélytisme de façon à produire une thématique percutante, un slogan accrocheur, une image séduisante et un message convaincant.

◆ Une science

Par ailleurs, on considère les relations publiques comme une des sciences sociales, et le relationniste comme un technicien des sciences sociales appliquées. Le recours aux statistiques, au sondage, à la psychologie des foules, à la connaissance de l'opinion publique les situe bien dans la foulée des sciences humaines.

Les relations publiques ont recours à une démarche scientifique et une recherche continuelle qui permet d'appréhender :

– l'organisation dans sa structure de pouvoir et de contenu ;

— la société, dans ses dimensions socio-économico-politiques, qui entoure et influence l'organisation et ses décisions ;
— le public, avec ses pulsions et ses rationalisations, qui interagit avec l'organisation ;
— l'opinion publique, avec son intelligence et ses dérives, que l'organisation subit et tente d'orienter ;
— les forces et les faiblesses des médias qu'elle doit rejoindre ;
— les méthodes de recherche et d'évaluation qui permettent de juger et de jauger l'efficacité des actions entreprises.

Pour le relationniste André Villeneuve, alors vice-président adjoint aux Affaires publiques de Bell Canada, «il faut que nos relations publiques deviennent rapidement d'un art de la communication où sensibilité, flair et créativité étaient les seuls mots à la mode, une véritable science de la communication dont la méthodologie est plus scientifique dans l'analyse du milieu et dans les outils de communication à mettre en place entre l'entreprise et ce milieu». Le mariage de la rigueur et la folie créatrice constitue la réalité des relations publiques.

2.5 Un métier exigeant

Le métier de relationniste est exigeant à plus d'un titre. D'une part, il nécessite la maîtrise de divers éléments :
— la connaissance des techniques de communication ;
— le choix de celles qui permettent d'atteindre les objectifs visés ;
— l'expertise pour la production des divers supports utilisés : écrits, audiovisuels, éléments d'exposition, interactifs ;
— la possibilité de dessiner les stratégies les plus efficaces en sachant doser, selon les situations, l'humour, la sexualité, la peur, la rationalité, le témoignage ;
— le recours aux outils d'évaluation.

D'autre part, ce que l'on attend du relationniste relève presque de la magie qui :
— par un message change des comportements ;
— par des stratégies fait élire des personnalités politiques ;
— par des mises en scène crée des vedettes ;
— par le discours oriente la société.

Ensuite, lors des crises, c'est souvent lui qui est sur la ligne de feu, devant jongler entre l'urgence des gestes à poser, la recherche des causes de la crise, les conseils à formuler à la haute direction, les consignes à faire connaître aux usagers clients et les critiques à contrer.

Enfin, il est entièrement responsable et imputable des gestes qu'il pose et des propos qu'il tient. Un relationniste qui commet un impair perd son emploi ; une firme de relations publiques qui met son client dans l'embarras perd son contrat. Alors qu'un journaliste qui se trompe rectifie parfois son erreur, s'excuse rarement, peut à la limite recevoir un reproche du Conseil de presse, mais ne verra jamais son emploi remis en question.

2.6 Une pratique démocratique

Le journalisme se présente comme le chien de garde de la démocratie. C'est ce métier qui surveille et critique les débats publics. Mais ceux-ci sont animés par différents groupes d'intérêt qui prennent la parole et qui s'imposent aux médias. Parmi ces groupes, on retrouve les nantis de la société qui ont su depuis longtemps conjuguer leurs forces pour défendre leurs intérêts. Mais on y retrouve aussi les laissés-pour-compte de la société qui, très souvent, occupent des niches délaissées par les autorités.

Les grands changements sociaux sont nés de tous ces groupes de contestation qui ont décidé de porter très haut le flambeau de leurs idéaux et qui ont imposé aux médias, et de ce fait à la société, le devoir de tenir compte de leurs revendications. Par exemple, depuis l'après-guerre, ce sont les syndicats qui ont amené les patrons à redéfinir l'espace de l'organisation du travail ; ce sont les femmes qui ont amené la société, qu'elle soit civile ou religieuse, à tenir compte de leur existence dans la définition des droits et devoirs des partenaires sociaux ; ce sont les écologistes qui ont amené la grande industrie et les gouvernements à se soucier de la pollution. D'où que nous regardions, c'est la prise de la parole par des groupes de personnes qui a été le moteur des développements de toute nature. Et c'est en utilisant des stratégies de relations publiques que furent débattus sur la place publique ces différents enjeux.

Par ailleurs, aujourd'hui, par souci de rentabilité, on assiste à une réduction, sinon à la disparition, des salles de rédaction de la presse tant écrite qu'électronique. On se trouve donc dans une situation où certains secteurs d'activité, comme l'éducation par exemple, sont couverts par un seul journaliste. Ce dernier doit faire face à des dizaines de relationnistes qui animent les organisations actives dans ce domaine. Réal Barnabé écrivait, lors du 20ᵉ congrès de la Fédération professionnelle des journalistes du Québec (1988), qu'il y «aurait au Québec de deux à trois fois plus de relationnistes que de journalistes». Et Lise Payette, lors du même événement, rappelait qu'il y a «presque plus de journalistes en politique et dans les grandes boîtes de communication que dans les médias».

Même si les entreprises reconnaissent qu'elles travaillent en fonction de leurs seuls intérêts, ce faisant, elles surveillent l'environnement qui les entoure, le critiquent, le dénoncent et le font évoluer. Ainsi, toute entreprise ou organisation est scrutée par ses concurrents qui la dénoncent volontiers, par ses employés qui exercent un contrôle scrupuleux sur ses activités, par d'autres groupes d'intérêt qui constatent que les valeurs en lesquelles ils croient sont bafouées par elle, et par les médias qui n'hésitent pas à exercer leur droit de critiquer. Aussi guettée et épiée de si près, l'entreprise ne peut se permettre de faux pas et doit donner l'heure juste lorsqu'elle intervient sur la place publique.

Ainsi, le véritable chien de garde de la société, ce sont aujourd'hui les groupes d'intérêt qui surveillent toute législation pouvant leur nuire, tout autre groupe pouvant leur porter ombrage, tout concurrent qui utiliserait des moyens détournés et irréguliers pour arriver à ses fins. C'est l'auto-justification et l'auto-surveillance des groupes qui créent les débats publics. Car les gouvernements déréglementent, privatisent et, par souci d'économie, se retirent de toutes sortes d'activités et limitent ses services de contrôle.

Pour percer l'indifférence des médias dont ils ont besoin pour affirmer leur existence, tous ces groupes vont avoir recours à des spécialistes en communication. On comprendra alors pourquoi, dans les entreprises, chaque information diffusée devra donc être visée, corrigée, approuvée par différentes instances dans l'administration. Les textes sont préparés par les relationnistes, corrigés par les responsables de contenu, visés par les autorités. Chaque communication fait l'objet d'une vérification très serrée des faits, des chiffres et des idées qui sont véhiculées.

Le métier de relationniste requiert une rigueur qui pourrait rendre jaloux tout journaliste. Car si le journaliste doit produire des textes chaque jour, pressé par le temps et sans pouvoir toujours vérifier ses sources, le relationniste doit se tourner la langue sept fois avant d'émettre un communiqué qui aura été vu, lu, relu, corrigé et approuvé par diverses personnes. Ceux qui pensent que c'est pour mieux manipuler ne comprennent pas bien ce métier. C'est davantage pour s'assurer que tout ce qui est écrit est parfaitement exact et correspond à la réalité de l'entreprise ou de l'organisation.

Pour les journalistes, c'est la preuve que l'information est superfiltrée. Pour les relationnistes, c'est la certitude que toute information est véridique, exacte et conforme aux objectifs de l'entreprise. Si le journaliste pouvait mettre autant de temps qu'un relationniste pour s'assurer de l'exactitude des faits qu'il véhicule, il comprendrait la différence entre filtrer l'information et s'assurer de son exactitude.

Ainsi, en même temps qu'elle occupe l'espace public, l'entreprise subit, de ses concurrents, une surveillance serrée de tous les faits et gestes qui la concernent. Cette surveillance est organisée par des spécialistes qui possèdent une connaissance parfaite des dossiers et du temps et de l'énergie pour le faire. Les journalistes ne sont pas aussi choyés. Ce qui pouvait sembler au départ une mainmise sur la réalité devient maintenant un partage extrêmement serré de cette même réalité.

La relationniste Solange Tremblay rappelle justement que « la sensibilité et la capacité des organisations à participer au processus de changements pouvant intervenir dans leur environnement social, économique, technologique et politique deviennent une condition essentielle à leur survie et à leur développement... »

La communication publique partage une lourde responsabilité, soit celle d'occuper l'espace public et de fournir aux citoyens-consommateurs les éléments utiles à toute prise de décision. Elle contribue à la force de la démocratie en politique, à la valeur des informations en publicité, à l'authenticité des idées dans les causes sociales.

Une étude dans les quotidiens commandée par la Fédération professionnelle des journalistes (Tremblay *et al.* 1988, p. 16), précise que « 39 % des moyens utilisés par les journalistes dans le but d'obtenir une information font directement appel à du matériel préparé par des agents d'information ou des relationnistes ; 47 % des nouvelles font usage d'éléments extraits du discours de promotion ; 25,6 % des articles que nous avons examinés ainsi que l'ensemble des brèves ont été totalement ou partiellement écrits à partir de tels éléments ». Les auteurs précisent que si l'on ajoutait les sections des arts et spectacles, de la consommation, du tourisme, des sports et la publicité qui n'avaient été considérés dans l'étude, on constaterait que les quotidiens sont fortement redevables des entreprises et des organisations, donc les sources, dans leur préparation. Même si l'étude s'inquiétait de l'emprise des relations publiques sur l'information, elle faisait état d'une réalité à laquelle le journalisme n'échappait pas.

Pour André (1988), « on dit souvent que le quatrième pouvoir, ce sont les journalistes. C'est là l'erreur. En fait, le quatrième pouvoir, c'est l'information. Et sur le vaste territoire de l'information, il n'y a pas seulement les journalistes ». Il y a aussi les relationnistes.

Ce qui faisait dire à Dominique Ferrand (1988) : « Si la liberté de presse est dans un plateau de la balance, la liberté d'informer se trouve dans l'autre. C'est l'équilibre entre les deux qui est important ». La première appartient au journalisme, la seconde au conseiller en relations publiques. Celui-ci a le *devoir* de faire connaître son entreprise, son organisation, ses défis, ses idées. Sinon, c'est l'oubli. Une démocratie doit profiter de l'apport de tous les partenaires sociaux et, s'ils restent silencieux, leurs voix sont inexistantes.

2.7 Un contrôle sur la réalité

Vouloir communiquer, c'est *a priori* vouloir persuader et vouloir agir sur la réalité. Les relations publiques ont pour rôle premier de *mettre en valeur* l'entreprise, l'organisation, le produit, la cause, l'individu qu'elles servent. En ce sens, elles exercent un contrôle certain sur les informations qu'elles véhiculent. Elles n'hésiteront pas à mettre l'accent sur les éléments qui avantagent l'entreprise et à taire ceux qui pourraient lui nuire.

Tout comme la personne qui troque sa paire de jeans pour un complet veston ou une robe habillée pour solliciter un emploi, tout comme la femme qui se maquille pour mettre en valeur ses yeux ou son sourire ou pour cacher ses rides, tout comme on salue quelqu'un que l'on connaît, sans l'apprécier, par politesse, les relations publiques vont présenter la réalité sur une toile de fond sympathique. Alors, pourquoi les entreprises, les groupes d'intérêt, les gens qui animent la place publique n'auraient-ils pas recours aux mêmes artifices?

En fait, la communication est toujours une forme de manipulation car elle organise les pensées et les mots de façon à livrer un certain message.

2.8 Une industrie

Au-delà de leur caractère de nécessité et de leur participation à la définition des grands enjeux de la société, les relations publiques représentent une industrie en pleine expansion. Des dizaines de millions de dollars sont investis chaque année au Québec dans des activités de relations publiques.

Les cabinets conseils naissent, se développent et agrandissent leur champ d'influence. Des firmes irradient au-delà des frontières québécoises, partout au Canada, aux États-Unis et même à travers le monde grâce à des accords passés avec des réseaux multinationaux.

De petites agences se spécialisent dans des créneaux originaux et acquièrent une expertise qui leur permet de rivaliser avec les grandes agences. Elles rivalisent entre elles pour convaincre les clients de leur confier des mandats et se livrent de chaudes luttes pour y arriver. Elles cherchent à maximiser leurs profits.

Les relationnistes en entreprise représentent également une force financière extraordinaire et gèrent d'importants budgets. Pour annoncer l'entente entre Québec et Terre-Neuve à Churchill Falls, à la fin des années 1990, Hydro-Québec aurait investi quelques centaines de milliers de dollars pour la préparation et l'organisation de l'événement.

Pour avoir participé à la défense de la réputation de l'ex-premier ministre du Canada, M. Brian Mulroney, accusé d'avoir accepté des pots-de-vin dans l'achat des avions Airbus, une firme de relations publiques s'est vu rembourser plus d'un demi-million de dollars en honoraires professionnels.

Les intérêts commerciaux en jeu, les sommes d'argent engagées, le nombre de personnes travaillant dans ce secteur, la compétition qu'elles se livrent pour l'avancement de leur carrière révèlent les assises d'une industrie en plein essor.

2.9 Un système de valeurs

Les valeurs que diffusent les relations publiques revêtent une importance pour la société dans son ensemble. «Notre époque est en pleine mutation. Nos contemporains sont devenus les témoins et les acteurs d'une ère où l'échange de l'information, le transfert des connaissances et des savoirs ne se butent maintenant à aucune frontière», signale Solange Tremblay.

Les relations publiques peuvent jouer à l'avant-garde par les thématiques et les images véhiculées, en brisant les tabous ou en déjouant les préjugés; tout comme elles peuvent les renforcer. Elles peuvent favoriser la transformation sociale, protéger la qualité de la langue, animer la culture, comme elles peuvent les contrarier.

La société de demain sera celle qu'auront définie les sources auxquelles se réfèrent les médias. La communication publique qu'animent les rivalités socio-économico-politiques pose les jalons de la réalité. L'image des minorités, la participation à des causes sociales, l'appui aux activités civiques et démocratiques sont autant d'avenues qui s'ouvrent aux entreprises qui ont su développer une responsabilité sociale.

3. UNE DÉFINITION

Les relations publiques ont été définies de multiples façons par les chercheurs et les différentes organisations professionnelles de relations publiques. Rex Harlow, en 1976, a fait l'inventaire de 472 définitions des relations publiques et, en combinant les éléments essentiels de ces définitions, en est arrivé à quelques idées maîtresses qui définissent la fonction des relations publiques. C'est en nous inspirant de sa typologie que nous vous présentons ces éléments qui font consensus.

Voici d'abord deux définitions plus formelles. La première est celle de l'International Public Relations Association :

«Les relations publiques sont une activité de direction de caractère permanent et organisé par laquelle une entreprise ou un organisme privé ou public cherche à obtenir et maintenir la compréhension, la sympathie et le concours de ceux à qui elle a, ou peut avoir, affaire : dans ce but, elle devra analyser l'état de l'opinion à son égard, y adapter autant que possible son comportement et par la pratique d'une large information obtenir une coopération plus efficace qui tienne effectivement compte des intérêts communs» (traduction tirée de Lougovoy et Huisman, 1981, p. 47).

La seconde est celle que propose la Société des relationnistes du Québec (SRQ) : «Les relations publiques sont une fonction de direction, de gestion et de communication, à caractère permanent, grâce à laquelle un organisme public ou privé vise à établir, à maintenir et à promouvoir des relations de confiance fondées sur la connaissance et la compréhension mutuelle entre cet organisme et ses publics internes et externes, en tenant compte de leurs droits, besoins et attitudes, le tout conformément à l'intérêt du public» (définition tirée de Maisonneuve, Lamarche et St-Amand, 1998, p. 7).

Revoyons les principaux éléments de ces définitions.

3.1 Une activité de direction

Pour que les relations publiques s'exercent dans toute leur amplitude, il faut qu'elles soient considérées, au même titre que les autres fonctions de l'entreprise, comme essentielles au développement de celle-ci. De ce fait, le responsable des relations publiques doit pouvoir participer à toutes les discussions, et ce au plus haut niveau.

Cette première règle d'art des relations publiques a été proposée par celui que l'on considère être le père des relations publiques modernes. Un jour, alors que l'une de ses entreprises traversait une grave crise, John D. Rockefeller Jr fit appel à Ivy Lee pour l'aider à résoudre la crise. La première exigence que Lee formula fut de pouvoir traiter avec les plus hautes autorités de l'entreprise.

Voyons donc quelques expressions pratiques de cette approche.

Être membre de la direction

Pour participer à la prise de décision, le responsable des communications doit faire partie du comité de gestion et relever de la plus haute autorité. Car comment peut-il prêter son expertise, apporter des précisions sur l'humeur du public, mettre en garde contre certaines avenues, s'il n'est pas assis autour de la même table que les hautes autorités lorsque les décisions importantes se prennent?

Lorsque le responsable relève d'un niveau hiérarchique inférieur, comme c'est malheureusement souvent le cas, il doit d'abord convaincre son supérieur de ses idées. Celui-ci, habituellement issu du secteur de l'administration, est souvent plus familier avec les raisonnements mathématiques et extrêmement rationnels car il doit gérer les ressources humaines, financières, matérielles et informationnelles de l'entreprise. Il se sent toujours plus à l'aise pour justifier l'achat de 10 ordinateurs que pour mettre sur pied une campagne de relations publiques. De ce fait, il aura parfois tendance à hésiter à défendre et à utiliser des stratégies dont il ne maîtrise pas parfaitement toute la complexité.

En étant membre du comité de direction de l'entreprise, le responsable des communications peut donc avoir accès à toutes les informations qui entourent une décision et peut faire valoir son avis à chaque étape du cheminement de celle-ci.

Il faut reconnaître, toutefois, que cette situation idéale est loin d'être vécue dans toutes les entreprises. Plusieurs d'entre elles se privent d'ailleurs de l'expertise des relations publiques au moment de prendre des décisions importantes. Parfois, ceci a peu de conséquence. En d'autres circonstances, cela peut s'avérer désastreux. À titre d'exemple, lorsqu'une entreprise décide de vendre une partie de son actif pour mieux se concentrer dans son secteur d'excellence, il s'agit là d'une question d'affaires qui peut être gérée entre administrateurs compétents sur le plan économique. Mais se priver des conseils d'un relationniste dans cette prise de décision peut résulter en une baisse du titre en bourse car les gens pourront penser qu'il s'agit là d'une action pour se sortir d'un mauvais pas. Ceci peut aussi avoir un effet sur la motivation et la productivité du personnel; ne connaissant pas les raisons de cette décision, chacun peut craindre pour son emploi. S'il avait été présent au moment de la prise de décision, le relationniste aurait pu proposer des solutions pour réduire les conséquences négatives.

Il en est de même d'une organisation qui, pour éviter que ses membres dévoilent aux médias quelques errements, édicte une note interdisant à tout le personnel de s'adresser aux journalistes. Tout relationniste expérimenté pourra alors prévenir la haute administration qu'une telle directive sera très rapidement diffusée dans les médias. Ce qui aura pour effet de laisser entendre que l'organisation a des choses à cacher et qu'elle veut censurer ses employés. Et, alors que l'organisation voulait se faire discrète dans les médias, elle alimente elle-même la controverse.

Or, si le responsable des communications n'est pas membre de la haute direction, le mal sera fait lorsqu'il pourra intervenir. Être membre de la haute direction ne veut pas dire être vice-président d'une entreprise. Dans plusieurs situations, le directeur des communications participe au comité de gestion de l'entreprise, sans avoir le même rang hiérarchique que les autres membres de ce comité. L'important n'est pas le rang, mais la participation aux discussions.

D'après Wilcox, Ault et Agee (1986), les relations publiques sont plus efficaces quand elles relèvent de la haute direction. Pour Yves Dupré, président du groupe de relations publiques BDDS, «aucune stratégie sérieuse ne peut être mise en œuvre sans que la haute direction ne soit intimement convaincue de la nécessité d'intervenir au niveau de la communication et sans une volonté manifeste d'assurer à celle-ci la place qu'elle mérite» (Millette et Roberge, 1986).

Un communicateur peut sensibiliser la haute direction d'une entreprise plus facilement en défendant directement ses points de vue qu'en passant par un directeur général, qui doit convaincre le vice-président de son secteur qui lui, à son tour, doit convaincre le conseil de direction.

Participer aux décisions

Si le communicateur veut jouer un rôle conseil à toutes les étapes de la gestation et de la réalisation d'un produit, d'un service ou d'une idée, il lui faut donc participer aux décisions. Pour ce faire, il faut que les organisations comprennent que la communication peut les aider à mieux gérer l'organisation et non seulement à faire connaître un produit ou un service. La participation à la prise de décisions revêt plusieurs avantages.

◆ La connaissance des arguments

Pour être capable de défendre la position de l'entreprise et surtout pour être capable de construire des stratégies qui résisteront aux attaques, le relationniste doit connaître les arguments positifs et négatifs qui ont circulé autour de la proposition, comment et pourquoi ont été réfutés les arguments négatifs, et pourquoi les arguments positifs ont été plus convaincants. Les discussions entourant une prise de décision fournissent souvent les éléments essentiels à une bonne compréhension d'une situation et permettent d'en saisir toutes les nuances. On apprend dans ces circonstances les objections de certains membres de la direction, les résistances ou les freins qui pourraient entraver la bonne marche du projet. Lorsqu'il s'adresse aux journalistes, il sera en mesure de présenter la position complexe de l'organisation, puisqu'il connaîtra toutes les hésitations et tous les arguments déterminants qui ont amené à la prise de la décision.

◆ Le conseil

Il appartient au relationniste de situer toute décision dans son environnement physique et socioculturel. À ce titre, il peut formuler des conseils qui peuvent influencer la nature des décisions. Trop souvent, celles-ci sont arrêtées en fonction des seuls critères économiques ou politiques. Ainsi, vouloir implanter, dans une municipalité, un système de collecte sélective des déchets peut relever d'une préoccupation environnementaliste ou d'un souci de diminuer le coût de l'enlèvement des ordures ménagères. Mais ne pas tenir compte de l'état d'esprit du public peut résulter en une faible participation de ce dernier, sinon au rejet total de la proposition.

Le spécialiste de la communication, en concevant des stratégies de communication et en réalisant des activités appropriées, joue en tout temps un rôle conseil auprès de la direction en vue d'améliorer les relations entre l'entreprise et ses publics, c'est-à-dire autant lorsque tout va bien que lorsque tout va mal : succès, profits, développement, crises, conflits, grèves, scandales. Les relations publiques accompagnent l'entreprise dans tous ses mouvements.

Et pour proposer une stratégie adéquate, il lui faut connaître toutes les dimensions d'un problème, d'un défi, d'un enjeu. Comment peut-il les assimiler s'il ne suit pas étroitement toutes les étapes de leur gestation. Si le relationniste ne participe pas aux décisions, son travail en est lourdement affecté et il lui est difficile de comprendre pourquoi il ne peut répondre aux attentes de la direction et pourquoi ses conseils ont été retenus ou rejetés.

En fait, quand une organisation se rend compte que les relations publiques peuvent devenir une aide à la prise de décision, elle n'hésite plus à donner à ce secteur la place qui lui revient et à l'intégrer dans son conseil de direction. Or, cette situation idéale n'est pas toujours possible. D'une part, des patrons ne veulent pas entendre parler de communication ; d'autre part, des relationnistes n'ont pas développé un réel réflexe de conseiller ; d'autres en sont simplement incapables.

◆ La confiance

Pour obtenir et maintenir ce pouvoir de décision, il faut gagner la confiance des autres partenaires de l'entreprise. «Le communicateur d'entreprise, le responsable de la communication dans une organisation doit donc faire en sorte que, par la qualité de ses prestations et l'utilisation qu'il fait lui-même des techniques et des moyens de communication, il suscite suffisamment de confiance pour accéder aux centres de décision névralgique de l'entreprise. Il est essentiel qu'il soit présent là où se discutent les orientations, les choix, les contraintes et les défis», affirmait l'ex-ministre des communications Jean-Paul L'Allier.

On se souviendra qu'à l'automne 1995 l'attaché de presse de la princesse Diana avait démissionné parce que celle-ci avait pris la décision de participer à une entrevue télévisée au cours de laquelle elle n'avait pas hésité à parler de ses aventures amoureuses sans qu'il ait été consulté. Il avait alors considéré qu'il n'avait plus la confiance de la princesse et que, si son rôle conseil était évacué de sa tâche, il n'était pas intéressé à n'être qu'un faire-valoir.

Une fonction de gestion

Les relations publiques sont une fonction distincte de gestion. Trop longtemps, elles ont été considérées comme un outil de diffusion, c'est-à-dire qu'après que tous les paramètres du produit, du service ou de la cause eurent été arrêtés, que toutes les décisions sur ceux-ci eurent été prises, on demande aux communicateurs de les faire connaître, de les diffuser. Dans ces circonstances, le terrain n'a pas été préparé, on ignore comment l'information sera reçue et on ne s'en soucie guère. On demande aux communications de sonner le tocsin pour faire connaître la bonne nouvelle.

En tant que fonction de gestion, les relations publiques doivent exercer un rôle plus important que d'être seulement un diffuseur de nouvelles. Certes, ce dernier rôle leur revient en propre, mais les relations publiques doivent être associées à toutes les étapes de la prise de décision. Tout comme on se demande, avant de prendre une décision, combien ça va coûter, si l'on a les ressources pour payer et si ça vaut la peine de faire cet investissement, il faut se poser les mêmes questions en communication : la décision est-elle opportune ? Sera-t-elle bien acceptée ? Le moment est-il opportun pour la faire connaître ? Le public va-t-il bien la recevoir ? En somme, il faut *gérer* le problème ou l'enjeu par les communications, pas seulement *faire connaître* la décision prise.

3.2 De caractère permanent et organisé

Les relations publiques construisent et habillent la personnalité et l'image d'une entreprise, d'une organisation, d'une personne. Souvent, cette image sert de toile de fond pour relever de nouveaux défis ou pour régler certains problèmes. Or, une image se tisse lentement, elle peut subir les caprices de ses gestionnaires comme ceux de ses publics. Limiter l'utilisation des relations publiques à un rôle de diffusion en temps normal ou de sauveur lors de crise, c'est se priver d'un important outil.

Les relations publiques favorisent le fait qu'une entreprise doive prévenir plutôt que subir. Or, pour prévenir, il faut instaurer des postes de veille permanents, suivre le pouls du milieu et de ses publics, porter attention aux irritants avant qu'ils ne deviennent des encombrants.

«Comme dans un jeu de chaise musicale économique, plusieurs entreprises se retrouveront sans chaise chaque fois que la musique s'arrêtera, les entreprises incapables de répondre aux exigences des consommateurs de demain», écrit Faith Popcorn (1994, p. 15).

Ces activités ne peuvent prendre leur véritable dimension seulement par un recours sporadique à des professionnels de la communication. Il faut une continuité. Et celle-ci doit être organisée, c'est-à-dire se retrouver dans un lieu bien défini et bien pourvu dans l'entreprise.

Ce qui veut dire que les relations publiques ne devraient pas être une tâche temporaire confiée à quelques personnes pour résoudre une difficulté, mais bien prise en charge par un service spécifique. Ainsi, réserver cette tâche au bureau du secrétaire général ou à celui d'un vice-président exécutif d'une entreprise ou d'une organisation, ou confier ces responsabilités à un professionnel ou un cadre non préparé à ce métier trahissent le peu d'importance qu'une organisation accorde à ces tâches.

3.3 Au service de l'entreprise

Les relations publiques sont d'abord et avant tout des activités au *service d'une entreprise* et non du public. Elles doivent assurer son développement économique, social ou autre selon le caractère de l'entreprise. Les relationnistes sont donc à la fois des conseillers, des avocats qui doivent défendre leur institution et en quelque sorte des mercenaires qui prêtent leur talent, leurs connaissances et leur expertise à l'employeur qui retient leurs services.

En ce sens, les relationnistes jouent exactement le même rôle que tous les professionnels de la société. L'architecte qui prête ses connaissances et son expertise pour construire un château, une usine d'armement ou une maison de ville loue ses services à ses clients. L'avocat loue ses services à la victime comme au coupable. Le psychologue reçoit des psychopathes et des personnes en recherche d'un meilleur équilibre.

Le relationniste est au service d'une entreprise. Et par entreprise, on comprend toutes les formes d'organisations, d'institutions, de regroupements ou de personnes que ce soit. Les relations publiques sont un outil de gestion pour les entreprises autant privées que publiques, pour une nation, une collectivité, un grand groupe ou une personne.

Ce qui veut dire que, contrairement au journaliste qui se doit d'être neutre devant les informations qu'il rapporte, le relationniste doit savoir mettre en valeur les éléments qui pourront favoriser son entreprise.

Il est exact de dire que, de ce fait, le relationniste va biaiser la réalité en faveur des intérêts de son entreprise. Mais c'est là son rôle. Lorsque, par ailleurs, l'information spectacle envahit les médias, le journaliste malheureusement biaise l'information pour favoriser l'augmentation des tirages ou des cotes d'écoute et, de ce fait, participe activement aux intérêts privés de ses bailleurs de fonds, ce qui n'est pourtant pas son rôle avoué.

En ce sens, le métier de relationniste comporte moins d'ambiguïté que celui d'un certain journalisme.

3.4 Pour créer un courant de sympathie

Toutes les définitions des relations publiques rappellent que le but premier de ce métier est de tisser des liens de sympathie avec ses publics. Ce qui veut dire qu'il s'agit de travailler sur des éléments non palpables, diffus et symboliques.

Cette dimension en quelque sorte immatérielle de ses fins rend le métier complexe, difficile et ajoute un certain scepticisme chez certains. Comment, en effet, peut-on créer de la sympathie? Pourtant, lorsqu'une entreprise commandite un événement, comme les concerts symphoniques, les festivals ou les téléséries, et que seul son nom apparaît sans qu'il ne soit jamais mention de son produit ou service, c'est en même temps de la sympathie, de la visibilité et de la notoriété qui sont recherchées.

Et cette sympathie s'exprime par des comportements tangibles : la fidélité à une marque, à un commerce, à un produit. L'image positive qui en résulte se mesure par des sondages. Ce sont là des expressions palpables.

Compte tenu de leurs objectifs, les relations publiques aiment travailler sur le moyen et le long terme. Chaque événement organisé, chaque discours prononcé, chaque initiative prise a pour but de tisser lentement les mailles d'un réseau serré d'amitié, de façon à construire un capital de sympathie qui pourra être utilisé en temps opportun.

Pour créer ce réseau, il faut attirer l'attention sur son existence, informer et influencer ses publics, savoir se défendre et aussi être attentif aux demandes des journalistes qui sont les principales courroies de transmission des valeurs et des préoccupations de l'entreprise.

3.5 Pour gérer les défis

Au-delà de l'image, les relations publiques vont servir à gérer les problèmes, les défis, les produits et services de l'entreprise.

Lorsqu'une entreprise prend une décision importante et qu'elle veut la faire connaître de façon immédiate, elle peut aussi avoir recours aux relations publiques. Nous travaillons ici dans le court terme. C'est ainsi que Perrier a décidé de faire connaître au monde entier, en même temps, que ses bouteilles d'eau minérale étaient retirées du marché parce qu'on y avait trouvé du benzène. Pour ce faire, la firme a eu recours à une seule conférence de presse.

On se rend compte maintenant que les relations publiques servent des fins à court et à long terme. Leur rapidité de réaction à court terme peut empêcher la dégradation de l'image à long terme par exemple.

3.6 Auprès de ses différents publics

Les relations publiques aident à établir des liens, à maintenir des voies mutuelles de communication, d'acceptation et de coopération entre une entreprise et ses publics, à créer un climat de sympathie. Or, ces différents publics doivent être définis.

Il faut les *identifier* : il s'agit autant des publics *internes* (ouvriers, cadres, représentants, employés) que des publics *externes* (les pouvoirs publics, les leaders d'opinion, les consommateurs, le grand public, les autres entreprises, les médias, les fournisseurs).

Il faut les *connaître*: Les Alcooliques anonymes ne parlent pas de la même façon à leur public que les brasseries par exemple. Pour trouver le bon niveau de langage pour chacun de ses publics, il faut savoir qui ils sont.

Il faut les *satisfaire*: ce qui veut dire que, même si les relations publiques sont au service d'une entreprise, elles doivent avant tout viser la satisfaction du client. Il ne s'agit pas d'imposer au client la volonté de l'entreprise, mais bien de s'assurer que l'entreprise comprend son public, s'y adapte et le sert bien. Sinon, tôt ou tard, il y aura désaffection de celui-ci.

Il faut les *convaincre*: les relations publiques recherchent l'adhésion du public pour obtenir sa compréhension, sa sympathie et sa participation. Pour Leduc (1984, p. 47), les relations publiques poursuivent deux objectifs. Le premier est de faire connaître l'action de l'entreprise et le second est de faire comprendre cette action pour en obtenir des réactions favorables. Les relations publiques «impliquent non seulement le désir d'informer le public, mais la possibilité pour celui-ci d'exprimer son opinion».

Le travail du relationniste consiste à créer et à maintenir en permanence un double courant d'information. D'où une *communication descendante* de l'entreprise vers ses publics. Mais il faut savoir ici que les communications ne peuvent pas pendant longtemps construire une personnalité qu'une entreprise ne peut assumer. Le maquillage peut cacher des rides, il ne change pas le visage. Pour ce faire, il faut avoir recours à la chirurgie plastique. Alors, c'est l'entreprise elle-même qui rajeunit, et non seulement l'image.

D'où une *communication ascendante* des publics vers l'entreprise qui permet à la direction de connaître avec précision les intérêts de ceux-ci, tant internes qu'externes. D'où la nécessité de mettre sur pied des mécanismes de communication bidirectionnelle pour créer un dialogue constant entre une entreprise et ses publics.

«Cette communication dans les deux directions s'impose pour de multiples raisons. D'abord, elle établit un climat plus humain en prêtant attention et en répondant aux besoins des publics d'une entreprise. L'image que projette cette organisation est reflétée vers ses adminis- trateurs qui peuvent mieux juger de la portée de leurs décisions et apprennent lentement à administrer davantage en fonction des besoins du public. De plus, cette recherche permet souvent d'éviter des erreurs graves qui auraient pu conduire à des crises majeures (Leduc 1984, p. 247). »

« Les relations publiques ne peuvent se limiter à l'information par l'organisme (émetteur) de ses publics (récepteur). Elles doivent absolu- ment permettre aux publics (émetteur) de faire connaître leurs points de vue à l'organisme ou au groupe (récepteur). C'est la condition même du dialogue véritable, qui implique un réel va-et-vient entre les interlocuteurs (Lougovoy et Huisman, 1981, p. 44). »

« La véritable communication, que ce soit au sein d'une entreprise, ou dans l'administration publique et même dans l'enseignement, c'est d'en arriver à savoir à la fois exprimer ce que l'on a de mieux à dire aux bonnes personnes, au bon moment et dans les bonnes circonstances, mais aussi apprendre le plus difficile : écouter ceux qui ont des choses à dire, ceux qui ont besoin de les dire et ceux qui connaissent mieux que d'autres les choses à faire, à imaginer, à inventer (Jean-Paul L'Allier, 1986). »

De ce fait, le communicateur est celui qui détient le plus d'infor- mations dans une entreprise. Il possède celle de la base et celle du sommet, celle de l'interne et celle de l'externe. Pour pouvoir créer un climat de confiance entre une entreprise et sa clientèle, le conseiller en relations publiques doit être au courant et participer aux décisions que l'entreprise entend prendre auprès de sa clientèle. Il doit, en même temps, être à l'écoute de la clientèle pour s'assurer que l'entreprise ne sera pas à contre-courant des besoins de ses clients.

◆ Le souci de l'opinion publique

Les publics de l'organisation sont ceux avec lesquels peut interagir l'entreprise. L'opinion publique constitue un univers au-delà des publics de l'entreprise. Cette opinion publique s'enflamme et s'indigne, est indifférente ou silencieuse, se développe lentement ou laisse soudain jaillir son expression. Qui aurait pu prévoir l'engouement créé par la mort de la princesse Diana?

L'opinion publique crée des vagues de fond, tisse des fonds de scène, prépare le terrain à recevoir ou à condamner les actions. Que pensait l'opinion publique de tenir un Superbowl en janvier 1990, lorsque les Américains se livraient une guerre sans merci à l'Irak? Les organisateurs se sont posé la question et l'ont posée à la population car ils ont songé à annuler cette représentation. Mais l'opinion publique était favorable à la tenue de cet événement. Elle voulait, en effet, se changer les idées de cette guerre qui laissait dans ses champs de bataille des enfants américains partis se battre pour la liberté.

Les relations publiques aident la direction à se tenir au courant et à être réactive face à l'opinion publique. Mais il faut aussi savoir que l'opinion publique couvre deux univers opposés. D'une part, c'est l'opinion de la population face à un objet donné. Que pense-t-elle de l'avortement, de la peine de mort, de l'homosexualité? Mais savoir ce que pensent les gens ne nous dit pas ce qu'ils sont prêts à faire pour défendre leur idée. L'opinion publique qui compte, c'est celle des groupes d'intérêt qui, devant une idée, sont prêts à se battre pour la défendre ou pour l'empêcher de s'exprimer. On ne va pas à contre-courant d'une opinion générale. Il faut surtout craindre la dynamique des gens qui partagent un intérêt certain dans une idée.

Il faut donc savoir planifier et non seulement répondre aux sollicitations du moment. Toute décision implique qu'on tienne compte du public qui en subira les conséquences. La construction de l'image d'une entreprise constitue une activité permanente. La sympathie du public se prépare, se cultive, se soigne.

3.7 Une pratique de l'information

Toutes les activités de relations publiques s'articulent autour de l'information : sa collecte, son analyse, sa mise en forme, sa circulation et son évaluation.

L'entreprise doit s'assurer qu'elle met en circulation des informations qui correspondent à l'image qu'elle veut donner d'elle-même et qui ont une résonance certaine auprès du public qu'elle veut atteindre.

Pour ce faire, il faut posséder une pratique de toutes les dimensions de l'information, c'est-à-dire savoir construire des politiques de communication, préparer et réaliser des plans de communication et exécuter ces plans par de multiples techniques de communication.

Les relations publiques sont une action, une mise en œuvre de stratégies. Elles utilisent des approches *non médiatisées* comme les rencontres interpersonnelles ou la diffusion de dépliants ; ou *médiatisées* comme la tenue d'une conférence de presse ou le recours à la publicité. Elles peuvent avoir recours à toutes les techniques de communication.

3.8 La recherche de l'intérêt commun

S'il est vrai que les relations publiques sont au service d'une entreprise, cela ne les empêche pas de viser l'intérêt commun entre l'entreprise et le public. Sans ce partage d'intérêt, le public aura tôt fait de fuir l'entreprise. Harlow définit et souligne la responsabilité qu'a la direction d'être au service de l'intérêt public. Si l'entreprise ne se soucie pas des effets de la pollution qu'elle engendre, de la qualité et de la sécurité des produits qu'elle met sur le marché, ce seront en même temps les législateurs, les groupes de pression et de défense d'intérêt et le public qui réagiront.

C'est souvent, en fait, un rôle d'interprète que jouent les responsables des relations publiques :

- ils doivent interpréter auprès des publics la philosophie, les programmes, les politiques de leur organisation ;
- ils doivent aussi interpréter les vues des différents publics aux dirigeants et aux décideurs de l'entreprise.

C'est en ce sens que l'on dit que les activités de relations publiques peuvent – directement ou indirectement – profiter *et* aux organisations, *et* aux publics en général.

Ce qui implique que les relations publiques doivent être pratiquées avec une éthique rigoureuse pour ne pas tromper le public qu'elle entend servir.

CONCLUSION

C'est dans cette perspective que les relations publiques paraissent indispensables à l'entreprise. En donnant sur la vie d'une entreprise une information concrète, en favorisant le dialogue tant à l'intérieur qu'à l'extérieur et en créant un climat de clarté, de confiance et de sympathie, les relations publiques peuvent ainsi donner de l'entreprise une image de partenaire social plutôt que celle d'un prédateur. En réalité, dès qu'une entreprise s'éloigne de l'image qu'elle veut donner d'elle-même, qu'elle ne satisfait plus le citoyen-consommateur, elle pourra se voir répudier.

La définition que nous avons brossée constitue un idéal et la réalité la contredit souvent. Les relationnistes ne font pas toujours partie de la haute direction. Les relationnistes ne sont pas toujours associés à la prise de décision. Ils n'ont pas toujours le temps de prendre le recul nécessaire pour être de bons conseillers et se contentent trop souvent d'être des diffuseurs d'informations. Certaines entreprises abusent du superlatif et maquillent de façon décevante leur attitude méprisante pour le public, mais le temps a raison de ces entreprises. Tôt ou tard, elles sont rattrapées par leur véritable personnalité.

Le relationniste doit donc être un informateur de premier ordre, un médiateur positif essentiel entre les divers échelons (internes et externes) de l'entreprise, un communicateur loyal et rigoureux, soucieux de transmettre une information neutre et objective mais capable de persuader, un artisan de premier plan vis-à-vis de l'édification d'une politique plus humanisée, un spécialiste des relations de presse et des techniques de communication.

4. LES RELATIONS PUBLIQUES ET LES AUTRES MÉTIERS DE LA COMMUNICATION

Les relations publiques ne constituent pas en soi une technique de communication. C'est une approche, un état d'esprit et une fonction qui ont recours à de multiples techniques pour se réaliser.

De ce fait, les relations publiques côtoient divers métiers de la communication, empruntent à ceux-ci leur force ou les utilisent pour arriver à leurs fins.

Regardons d'un peu plus près quelques-uns de ces métiers et essayons de voir leur complémentarité avec les relations publiques.

4.1 Le journalisme

Un des principaux outils des relations publiques sont les relations de presse. Les médias constituent le plus important partenaire des relationnistes. Ce sont eux qui finalement rapportent à la population les informations utiles au bon fonctionnement de la société. Une grande partie du travail du relationniste sera donc de préparer des documents et des événements pour qu'ils soient diffusés par les médias.

D'après le guide de déontologie de la Fédération professionnelle des journalistes du Québec, «le rôle essentiel des journalistes est de rapporter fidèlement, d'analyser, de commenter, le cas échéant, les faits qui permettent à leurs concitoyens de mieux connaître et de mieux comprendre le monde dans lequel ils vivent».

Mais il faut savoir que ce sont les acteurs sociaux, culturels, politiques, économiques et sportifs qui *créent* l'information. La princesse Diana, le premier ministre Bouchard, la chanteuse Céline Dion, le coureur automobile Jacques Villeneuve sont tous des acteurs qui, par leurs faits et gestes, alimentent les médias.

Les relations publiques vont mettre en *valeur* l'information qui entoure les acteurs.

On peut dire, de façon générale, que le journalisme, tel qu'il est pratiqué aujourd'hui, est l'art de la *mise en scène*. Les déclarations et les événements sont retenus et joués selon leur attrait pour le consommateur de nouvelles. Le spectaculaire prime parfois la profondeur. C'est ce que nous appelons la logique médiatique.

Le relationniste doit donc apprendre le fonctionnement du journalisme pour être en mesure de présenter les informations qu'il souhaite voir diffuser selon cette logique. Pour celle-ci, une information doit être une nouvelle, et une nouvelle, c'est un écart à la norme. Ainsi, lorsque tout va bien, c'est la normalité, on n'en parle pas. Il faut donc savoir situer son point de vue dans l'optique d'un écart à la norme.

Le journalisme ne crée donc pas les événements, même s'il les couvre. Il ne crée pas les idées même s'il crée du sens. Il ne crée pas les causes sociales même s'il les épouse. Il ne crée pas les activités culturelles même s'il les critique. Il ne crée pas les activités sportives même s'il contribue à leur épanouissement. C'est en quelque sorte le rôle des acteurs, appuyés par des stratégies de communication, d'animer la réalité. Mais celle-ci n'a d'existence réelle que si elle est connue. D'où la complémentarité entre les métiers de relations publiques et de journalisme.

Si les métiers de journaliste et de relationniste s'opposent dans leurs missions et leurs intérêts, ils se complètent par contre par leur interdépendance.

4.2 La publicité

La publicité est une technique où l'on achète un emplacement donné dans un média, que l'on remplit selon toute sa discrétion. Contrairement aux relations publiques où le relationniste propose ses informations au journaliste et où celui-ci en fait ce qu'il veut bien, la publicité réserve l'espace qui lui plaît, y met le message qu'elle veut, dans le média qu'elle choisit, au jour et à l'heure qu'elle souhaite.

Il existe différentes formes de publicité. La publicité commerciale vend des produits et des services. La publicité institutionnelle présente l'image de l'entreprise ou de l'organisation. Lorsqu'Alcan signe une publicité présentant un jeune bébé avec la signature : « La force de l'avenir », c'est un capital d'image qu'elle cultive.

La publicité sociale s'attaque aux maux de la société comme la pauvreté, le sida, les enfants battus, la protection de l'environnement. Certaines entreprises vont donc endosser une cause et vont payer pour le faire savoir.

La publicité de plaidoyer concerne les sujets de controverse dans lesquels s'engage une entreprise. C'est ainsi, par exemple, qu'à la fin des années 1990 l'Institut canadien des produits pétroliers a expliqué aux consommateurs pourquoi le prix de l'essence fluctuait si constamment.

Si la publicité commerciale ne relève pas des relations publiques, toutes les autres formes de publicité constituent des outils de relations publiques, car elles cherchent à construire le capital de sympathie dont a besoin toute entreprise ou organisation pour fonctionner. Parce que la publicité permet, contre rémunération, d'avoir un contrôle total de l'information, les relations publiques, dans certaines circonstances, vont préférer l'utiliser pour s'assurer de l'intégrité du message qu'elles veulent diffuser et éviter ainsi toute distorsion.

Ainsi, alors que les relations publiques vont essayer de trouver des façons d'attirer l'attention des médias pour qu'ils parlent de leur entreprise, service ou cause, la publicité impose son message. Mais les relations publiques permettent d'ouvrir un dialogue avec le public dans les domaines où la publicité n'offre qu'un monologue affirmatif pour créer un mouvement de sympathie.

◆ La commandite

La commandite est une autre forme de publicité, visant cette fois-ci la visibilité et la notoriété. Une entreprise commandite, donc débourse un certain montant d'argent, pour soutenir un festival, une exposition d'art, une tournée d'artistes, en échange de quoi elle verra son nom associé à l'événement et essaiera de gagner ainsi la sympathie de ceux qui y participent.

C'est donc une autre voie qu'empruntent les relations publiques pour établir des liens harmonieux avec ses publics.

Dans tous les cas, lorsque la publicité est utilisée par les relations publiques, on aura compris qu'il n'est pas question de vendre un produit ou un service, qui relève de la *publicité commerciale*, mais bien de faire apprécier l'entreprise.

4.3 Le marketing

Le marketing est une technique de gestion qui se déroule en quatre phases successives :
- définir un produit ;
- fixer son prix ;
- arrêter sa distribution ;
- et enfin le vendre.

Habituellement, on parle des 4P du marketing : le Produit, le Prix, la Place et la Promotion. Ainsi, c'est le marketing qui décide si

McDonald's peut ouvrir un nouveau restaurant, quels sont les produits qui y seront vendus, où et quand il peut l'ouvrir, quelle zone géographique il occupera. Et lorsque toutes ces décisions auront été prises, la communication les fera connaître.

Pour le relationniste, la démarche du marketing est utile à double titre. D'une part, s'il y est associé, il pourra contribuer à la prise de décision la plus sage. Même s'il ne lui appartient pas de définir les paramètres indiqués, il peut apporter un éclairage unique sur l'environnement et la clientèle qui pourra orienter la décision. D'autre part, connaissant les éléments du marketing, le relationniste pourra favoriser l'une ou l'autre phase dans sa communication, c'est-à-dire les axer autour d'une qualité particulière du produit, de son prix compétitif, de sa disponibilité.

Les relations publiques interviennent peu au niveau du marketing commercial. Mais, dès qu'il s'agit du marketing social, politique ou religieux, elles y sont intimement liées. Car il s'agit là de faire accepter un comportement comme protéger l'environnement, adopter une personnalité politique ou participer davantage à des activités religieuses. Nous sommes dans le domaine des idées et non plus des produits et le but est de créer des liens positifs entre cette idée et les publics que l'on souhaite atteindre.

4.4 Les affaires publiques et le lobby

On appelle «affaires publiques», les relations *non commerciales* qu'entretiennent les entreprises avec les autorités gouvernementales et les collectivités locales.

Le législateur intervient dans toutes les sphères de l'activité humaine, soit pour légiférer, soit pour privatiser et donc refuser de légiférer, soit pour imposer des règles du jeu. Ainsi, si quelqu'un critique abusivement un groupe donné, la Commission des droits de la personne peut le rappeler à l'ordre. C'est l'État qui décide du salaire minimum, de la façon dont les écoles seront subventionnées, des droits de congé de maternité. En fait, il n'y a aucun secteur de l'activité humaine qui ne tombe sous le coup de l'État, y compris la morale, la sexualité et la religion. De plus, les innombrables subventions accordées par les divers niveaux de gouvernement en font des partenaires intéressants.

Par ailleurs, toute entreprise est établie dans une ville et un quartier donnés. Elle a des voisins qui la soutiennent bien ou mal. Elle subit les attaques des groupes de pression dès qu'elle déroge à leurs idéaux, qu'ils soient écologiques, environnementaux, ethniques ou autres.

Il est donc compréhensible que les entreprises et les organisations développent des stratégies adaptées à ces publics cibles particuliers.

Ces stratégies d'approche sont au nombre de trois. D'abord, on essaie d'influencer l'opinion publique au moment des grands débats de société par des campagnes d'information. Ensuite, on tente d'influencer le législateur par des approches personnelles ou partisanes. Enfin, on a recours aux tribunaux lorsque les deux premières avenues n'ont pas fonctionné pour faire renverser les décisions politiques. C'est ainsi que les industries du jouet et du tabac, par exemple, ont réussi à faire renverser par les tribunaux des lois dûment adoptées.

La première approche utilise les canaux habituels des relations publiques, la deuxième a recours au lobby et la dernière aux processus judiciaires. Le lobby est donc une forme de relations publiques, mais sa caractéristique est de tenter de tisser des liens pour mieux influencer les décisions politiques et administratives.

Ce ne sont donc pas tant les approches particulières qui définissent le lobby que la cible et les objectifs visés. Pour éviter que le lobby devienne un marché d'influence occulte, la loi balise l'exercice de la profession en obligeant les lobbyistes à s'identifier, à dire quelle entreprise les rémunère, quelle loi ou réglementation ils veulent influencer et de combien d'argent ils disposent pour ce faire. Une telle loi des lobbyistes existe à Washington et à Ottawa et des discussions sont en cours pour qu'il en existe une au Québec.

4.5 La propagande

Les relations des entreprises avec les autorités gouvernementales se nomment le lobby ; et les relations de celles-ci avec le citoyen se nomment la propagande lorsqu'elles touchent le monde des idées et non celui des services. La propagande est constituée d'un ensemble d'approches destiné à séduire un public cible donné (donc avec complicité), à le convaincre (donc avec argumentation) ou à lui imposer des idées (donc avec manipulation).

Le terme «propagande» s'est étendu à toute organisation qui cherche à diffuser des idées. Lorsque la Centrale de l'enseignement du Québec décide de lancer une campagne pour sensibiliser la population au sort des démunis et à la difficulté pour ceux-ci d'avoir accès au plus haut niveau de l'éducation, elle fait de la propagande. Lorsque l'archevêché lance une campagne pour une plus grande ferveur religieuse, il fait de la propagande, car il cherche à influencer les idées.

Mais, dans ces deux cas, il s'agit d'une propagande propre ou blanche, c'est-à-dire que la source est connue, son propos est véridique et elle ne cherche pas à tromper. Lorsque les Américains diffusaient, pendant la guerre froide en Europe de l'Est, des émissions de radio sur la chaîne Voice of America, tout ce qu'ils disaient sur l'Amérique était vrai. Mais c'était de la propagande en faveur de leur régime socio-politico-économique.

Il existe aussi une propagande sale et noire, celle qui ment, abuse, déforme, trahit et pratique une forme excessive de démagogie. C'est la propagande nazie pendant la dernière guerre; c'est aussi la propagande politique sous toutes les latitudes, même les nôtres, lorsque les premiers ministres ou les présidents, pour obtenir des votes, mentent, se contredisent, promettent des changements qu'ils savent qu'ils ne pourront jamais réaliser. Ils essaient de manipuler le citoyen.

En relations publiques, lorsque vient le temps d'amener la cible visée à partager son idéal politique, à tisser avec elle des liens de sympathie pour qu'elle adopte l'idée ou le point de vue présentés, on pratique de la propagande.

CONCLUSION

La présentation des différentes formes d'intervention que peuvent prendre les relations publiques traduit en même temps la complexité de ce métier et les outils diversifiés dont il dispose pour réaliser ses stratégies.

Le métier est complexe car il englobe une foule d'approches. Il est journalisme lorsqu'il s'agit de produire des revues d'entreprises qui pratiquent des standards journalistiques de haut niveau. Ce fut le cas, par exemple, de la revue *Forces* lorsqu'elle appartenait à Hydro-Québec et encore de nombreuses revues d'entreprises dont les rédacteurs ont une marge de manœuvre qu'envieraient nombre de journalistes. Il est journalisme lorsque vient le temps de rédiger des publi-reportages ou d'écrire un communiqué qui deviendra article ou nouvelle dans les médias sans qu'un iota ne soit changé.

Il est publicité lorsque l'entreprise ou l'organisation choisit de s'adresser directement à sa cible sans que son message ne soit filtré par les journalistes.

Il est affaires publiques ou lobby lorsque l'entreprise doit traiter avec l'État. Et il est propagande lorsqu'il s'agit de faire circuler des idées.

C'est pour toutes ces raisons que l'on écrivait au début que les relations publiques étaient autant un état d'esprit qu'une pratique professionnelle.

5. UN PEU D'HISTOIRE

Pour bien comprendre la vraie nature des relations publiques, il est intéressant de s'interroger sur leur histoire et de mettre en perspective leur visage moderne face à la pratique séculaire de cette approche.

Précisons toutefois :

- qu'il se fait des relations publiques depuis la nuit des temps ;
- que les relations publiques telles que nous les connaissons sont apparues à la fin du siècle dernier, avec le développement de la grande presse ;
- que les principales règles d'art qui guident ce métier ont été arrêtées lors d'une grave crise qui jeta un certain discrédit sur la grande famille des Rockefeller ;
- qu'elles se sont développées après la Première Guerre mondiale parce qu'au cours de celle-ci on avait appris à les utiliser, non plus pour se défendre, mais de façon proactive pour occuper l'espace public.

Revoyons ces étapes.

5.1 La pratique ancestrale

Nous avons exposé, au début de ce chapitre, les raisons qui expliquaient l'existence des relations publiques. L'humanité n'a pas attendu l'ère moderne pour se rendre compte qu'on ne peut vivre sans communication. De tout temps, les sociétés se sont donné des règles d'échange entre les acteurs sociaux, décidant qui pouvait intervenir sur la place publique. À l'époque de la Grèce antique, il y avait déjà des citoyens à part entière et d'autres de seconde zone.

Pour attirer l'attention, les grands personnages de l'histoire ont fait construire des monuments à leur renommée. Les pyramides des Égyptiens, le Parthénon à Rome, le Taj Mahal en Inde, l'Arc de triomphe à Paris ne sont que des expressions de cette volonté de paraître. Tous les palais du monde, de l'Alhambra à Versailles, toutes les cathédrales et les mosquées, témoignent de ce désir de se créer une image forte.

Au-delà de cette recherche du faste, quelle que fut la nature du pouvoir qui animait les princes et les cardinaux du monde, tous devaient informer la population des principes qui les guidaient. Les rois devaient faire accepter que leur pouvoir venait du droit divin. Le clergé devait convaincre les fidèles de rester dans le droit chemin. Et les révolutionnaires devaient démontrer à la population qu'ils étaient exploités.

Enfin, sous tous les régimes, des oppositions sont nées entre personnes, entre groupes, entre pays. Pour conquérir le pouvoir, on s'assassinait entre frères, entre amis. Pour conserver la mainmise sur ses fidèles, on brûlait les hérétiques.

La recherche d'un courant de sympathie, la défense de ses droits, les défis nouveaux à relever, la conquête de l'opinion publique ont fait partie des préoccupations de toutes les civilisations. C'est en ce sens que l'on dit que les relations publiques existent depuis toujours. Ce qui a changé aujourd'hui, c'est le contexte dans lequel toutes ces activités se déroulent : ce sont les techniques nouvelles de communication qui sont apparues, c'est l'apparition d'un nouveau type de citoyen, fortement urbanisé et scolarisé, exigeant et capricieux, détenant par la démocratie un pouvoir véritable sur la réalité.

5.2 La naissance des relations publiques modernes

Avec le développement de la grande presse, au milieu du siècle dernier, les entreprises, les personnalités politiques et les organisations de toutes natures ont vite compris qu'il s'agissait là d'un formidable outil de diffusion. Si les médias publiaient une information, celle-ci acquérait de ce fait un statut officiel et, en même temps, atteignait rapidement un public très vaste.

On comprend dès lors que les premiers relationnistes furent des agents de presse, c'est-à-dire d'anciens journalistes à qui l'on demandait d'utiliser leur connaissance de ce métier et leurs contacts pour avoir accès aux pages des médias.

PACIFIC RAILROAD 1870

Les premières initiatives de relations publiques modernes seront donc concentrées sur les relations de presse. C'est ainsi que le voyage inaugural organisé en 1870 par la compagnie ferroviaire Pacific Railroad à l'occasion de l'ouverture de la ligne New York-San Francisco marque l'une des premières tentatives de créer un événement auquel étaient directement associés les médias et, par le fait même, le grand public. La compagnie invita près de 150 personnalités à ce premier voyage. Un des wagons du train abritait une véritable unité de presse ambulante avec une salle de rédaction, de composition et d'imprimerie. Dans chaque ville où s'arrêtait le train, des informations pouvaient être diffusées à partir de cette salle de presse. Aujourd'hui, tous les événements de quelque envergure proposent aux journalistes une salle de presse à partir de laquelle ils peuvent travailler. Et tout déplacement d'homme d'État comporte une caravane de journalistes.

WESTINGHOUSE 1889

C'est en 1889 qu'est créé aux États-Unis le premier département de relations publiques à la compagnie Westinghouse. Deux agents de presse ont été embauchés pour faire la promotion du courant alternatif d'électricité de la compagnie. La firme Edison riposta en suscitant une campagne pour dramatiser les dangers du courant alternatif à haut voltage face à son système plus sécuritaire de courant continu. Malgré le fait que Westinghouse ait perdu sa bataille contre Thomas Edison et son système, cette expérience démontra qu'il était possible, sur le plan commercial, d'essayer d'influencer l'opinion publique à partir d'une stratégie arrêtée à cette fin par des spécialistes de la communication.

LES VOITURES FORD

Henry Ford comprit de son côté que, pour attirer l'attention des médias et du grand public, il était parfois nécessaire de créer un événement et d'y associer des personnalités connues. De ce fait, il avait saisi deux éléments de la logique médiatique qu'il conjugua avec bonheur : créer la nouvelle par l'événement et utiliser les noms qui attirent les médias.

Il organisa donc des «démonstrations» où il présentait ses nouveaux modèles pour que la presse en parle. Il utilisa des vedettes du monde du sport auxquelles la population pouvait s'identifier.

LES CRISES ÉCONOMIQUES

Si les relations publiques servirent d'abord la grande entreprise et eurent tôt fait d'essayer de dicter aux médias le choix des informations, ce fut de courte durée. Car la grande presse, d'abord à la solde des grands de ce monde, acquit rapidement une certaine autonomie. La diversité des centres d'intérêt poussa les médias à opter pour un camp et surtout à acquérir une autonomie financière qui leur permettait de viser le profit avant le parti pris.

La révolution industrielle avait permis le développement presque sauvage de la grande entreprise et provoqua de ce fait des crises économiques (1873-1884-1907) qui amenèrent le chômage et la misère.

«Dans les grandes villes, les chômeurs organisent des défilés de la faim. Dans le même temps, les concentrations et fusions industrielles ont ruiné ou éliminé nombre de petites et moyennes entreprises. La quasi-totalité de la population s'indigne des méthodes utilisées par le "big business" pour parvenir à ses fins. L'indifférence du gouvernement vis-à-vis de l'illégalité et de l'immoralisme dans lequel se fait le développement industriel ne fait qu'ajouter au mécontentement des diverses catégories (fermiers puis ouvriers et classes moyennes des villes) qui en sont victimes (Lougovoy et Huisman, 1981, p. 9).»

L'attitude du monde des affaires enclencha un cycle de réactions que l'on pourrait résumer ainsi :

- fabrication de produits de mauvaise qualité pour les consommateurs et conditions de travail inacceptables pour les ouvriers ;
- réactions et pressions populaires avec grèves, dénonciations et sabotages ;
- exploitation de la situation par les médias ;
- récupération du mécontentement populaire par des luttes politiques ;
- législation pour récupérer le vote populaire ;
- amende honorable des industriels pour récupérer leur marge de manœuvre auprès du pouvoir politique.

C'est dans ce climat d'opposition que vont s'installer les grandes traditions de relations publiques que nous connaissons aujourd'hui.

C'est ainsi que la grande entreprise décide de redorer son image, de se gagner la confiance du public et d'éviter ainsi les interventions de l'État. Les relations publiques modernes étaient nées.

Pour réduire la contestation dont elle est l'objet, pour faire taire les critiques et empêcher les gouvernements de légiférer, la grande entreprise va devoir mettre en œuvre une opération de charme avec ses partenaires.

5.3 Les leçons d'une crise

« C'est un certain Ivy Lee qui développa aux États-Unis des "relations de presse" plus ouvertes, qui donnèrent naissance aux relations publiques modernes. En 1906, alors qu'il était au service de la *Pennsylvania Railway*, il décida, contrairement au comportement traditionnel qui aurait été de chercher à cacher l'événement, de rendre public un déraillement de train et émit ce que l'on croit être le premier communiqué de presse. Il fit le pari que la presse apprécierait la "transparence" de la société des chemins de fer ; il n'ignorait pas non plus que le communiqué pourrait influencer la façon dont l'événement serait rapporté (Charron, Lemieux, Sauvageau, 1991, XVI-XVII). »

Ivy Lee est considéré comme le fondateur des relations publiques modernes, car il a réellement bouleversé la pratique de ce métier. C'est toutefois en travaillant pour John Rockefeller Jr au moment où les Rockfeller étaient l'objet de vives attaques de presse pour la façon brutale dont ils avaient brisé la grève des ouvriers d'une de leurs sociétés, la Colorado Fuel and Iron Company, que Ivy Lee mit au point son approche de relations publiques qui fit école.

Le 20 avril 1914, les tensions des sept mois de grève précédents ont explosé au camp Ludlow, au Colorado, où, depuis le 23 septembre 1913, 9 000 travailleurs miniers en grève et leurs familles sont rassemblés pour protester contre les conditions misérables que leur impose la compagnie minière de charbon, propriété de John D. Rockefeller Jr. Ce 20 avril, une compagnie de gardiens avait entrepris une surveillance serrée du camp, qui a riposté par un premier coup de feu. Durant toute la journée, les répliques se sont poursuivies pour se solder par une quarantaine de décès, dont deux femmes et onze enfants. La famille Rockefeller, présente dans de nombreux domaines de l'activité économique, devient dès lors l'employeur le plus exécré des États-Unis. Des conseillers convainquent Rockefeller de faire quelque chose pour faire échec à cette très sombre image que projette le nom de la famille. C'est alors qu'entre en jeu Ivy Lee (tiré de Lougovoy et Huismann).

Il va d'abord entreprendre une campagne de très longue durée au cours de laquelle il modifiera totalement la réputation des Rockefeller.

DES FAITS : il commença par publier les bilans des sociétés de la famille. Et cela mit fin aux campagnes qui présentaient la forteresse Rockfeller comme un antre mystérieux. C'est le début des rapports annuels.

LA PORTÉE SOCIALE DES FAITS : mais, plutôt que de citer des chiffres absolus, il leur prêta une portée sociale. Les impôts payés se transformaient en nombre d'écoles, de routes, d'hôpitaux construits. Les salaires payés devinrent des revenus familiaux. Pour la première fois, on considéra ce patron non comme un buveur de sueur ouvrière mais, au contraire, comme un fournisseur d'emplois, remplissant à ce titre une fonction sociale.

L'IMAGE : en septembre 1915, John D. Rockfeller se rend dans le sud du Colorado. Durant deux semaines, il visite les foyers des familles des travailleurs miniers pour discuter avec elles de leurs problèmes. Il se rend également dans les mines. À la fin de son séjour, Rockefeller est l'invité d'honneur d'une soirée sociale organisée par les travailleurs. Le but avait été atteint : la compagnie Rockefeller présentait maintenant une image humaine et non plus accablante.

On ne s'étonne plus aujourd'hui de voir les personnalités politiques accourir au moindre désastre, posant au milieu des catastrophes et exprimant leur profonde sympathie pour les victimes. Les médias et le public ont tellement besoin de voir ces personnages sur les lieux des sinistres que, s'ils ne se prêtent pas à cette logique médiatique, ils seront accusés d'être insensibles au malheur des autres et vivement critiqués.

LA PRÉOCCUPATION SOCIALE : après avoir démontré que les industriels n'avaient pas de secrets honteux à dissimuler, Lee les incita, pour se gagner la sympathie de l'opinion, à mettre sur pied des opérations à caractère philanthropique (centres de recherches, hôpitaux, musées, universités, fondations, attributions de bourses d'études, organismes d'assistance aux déshérités) ou à y participer. Il s'efforçait ainsi d'accréditer l'idée que les grandes sociétés n'étaient pas seulement des machines à faire de l'argent, mais qu'elles travaillaient aussi pour le bien public.

C'est donc à cette occasion qu'Ivy Lee publie sa déclaration de principes où il met en avant les règles de son action en tant qu'agent de presse et précise ce que devait être un service de relations publiques :

1- L'intérêt public

Les affaires et l'industrie devraient s'aligner sur l'intérêt public et non l'inverse ; en somme, les affaires et le public peuvent aller de pair. De ce fait, il ne faut plus confondre propagande et relations publiques.

2- Une activité de direction

Lee a démontré qu'il était important d'avoir la collaboration de la haute direction et qu'il fallait absolument obtenir son appui avant de mettre de l'avant un programme de relations publiques.

3- Le maintien de relations ouvertes avec les médias

Lors de cette grève dans l'industrie des charbonnages, Lee constate que les patrons et les syndiqués sont vraiment à couteaux tirés, mais que le président du syndicat a de meilleurs rapports avec la presse parce qu'il se montre disponible pour répondre aux questions des journalistes. Lee réussit bientôt à convaincre ses patrons à collaborer davantage avec les journalistes.

4- *L'humanisation des rapports*

Lee insiste pour humaniser l'entreprise et favoriser les relations avec la communauté locale des employés, des clients et des voisins. Il poussera donc Rockefeller à mettre sur pied la désormais fameuse Fondation Rockefeller étendue à la recherche scientifique et à l'intervention médicale, qui fit de la famille Rockefeller des bienfaiteurs de l'humanité.

Les relations publiques modernes sont donc nées dans un contexte de crise, en tentant de redresser l'image ternie des grands barons de l'industrie. Elles ont donc été développées dans un contexte défensif.

Aujourd'hui, les relations publiques doivent apprendre aux entreprises qu'elles conseillent à savoir se présenter et se faire accepter, savoir s'imposer, savoir se défendre et savoir s'adapter à leur temps.

Elles vont donc chercher à offrir une information complète, objective et crédible. Il s'agit d'une règle absolue qui, si elle souffre des exceptions parfois déplorables, n'enlève rien à ses valeurs de base.

2

LES HABILETÉS REQUISES POUR RÉUSSIR DANS CE MÉTIER

S'il est vrai que le métier de relationniste est ouvert à quiconque veut le pratiquer, il exige de celui qui veut réussir un certain nombre de qualités et d'habiletés personnelles et professionnelles qui en font un métier très complexe.

1. LES QUALITÉS PERSONNELLES

Tout d'abord, on attend du relationniste qu'il soit capable de penser, de réfléchir, d'analyser et de tirer les conséquences qui s'imposent dans toute situation.

1.1 Une culture générale solide

Que ce soit dans une agence ou dans une organisation, l'agent de communication est continuellement aux prises avec un univers changeant, traitant de notions complexes, évoluant avec des personnes aux horizons divers. Pour s'adapter, pour conseiller, pour convaincre et séduire, il lui faut une culture générale solide et une forme certaine d'humanisme.

C'est à l'agent de communication qu'on demandera de changer les comportements de la société, de faire face aux crises diverses que traverse une organisation, d'implanter de nouvelles idées, de prêcher le civisme, la tolérance, l'ouverture d'esprit sur le monde, en même temps que de protéger les intérêts de l'organisation remis en question continuellement par diverses forces souvent hostiles. On lui demandera aussi de faire connaître des produits, des services, des causes de toutes natures. C'est à lui qu'on demandera d'établir l'état des lieux et de poser les jugements pertinents, lorsque viendra le temps de proposer des stratégies de communication. Il doit être capable de participer à l'analyse des divers phénomènes de communication dans les collectivités, les organisations et les groupes.

Il n'y a pas de recettes universitaires pour se préparer à jouer un tel rôle. C'est donc la culture de base qui sert de toile de fond aux activités du relationniste. C'est ce que les gens du milieu appellent une tête bien pleine doublée d'une intelligence certaine.

Pour exercer un rôle de décision et de gestion, il faut approcher les relations publiques avec une grande ouverture d'esprit, une culture solide et une rigueur intellectuelle à toute épreuve, car il faut être en mesure de prendre des décisions qui peuvent changer l'orientation de l'organisation. Il faut être capable de convaincre ses collègues et ses supérieurs que ce qui est proposé constitue la seule solution valable au défi et ensuite mettre en application les décisions prises.

Dans le domaine des communications, il est plus important d'avoir une solide formation de base et une connaissance fine de l'actualité, que de savoir écrire des communiqués. Car il sera toujours possible, pour un être ayant une bonne culture, d'apprendre à rédiger de bons communiqués. Mais il est certes plus complexe d'apprendre le sens des réalités économiques ou politiques, par exemple, à un bon rédacteur de communiqués.

1.2 De l'imagination

Pour faire des communications, il faut des créateurs avec de l'audace, des idées nouvelles, des approches inédites. Dans la masse des informations que reçoit chaque partenaire social, le communicateur, pour faire passer la sienne, doit être capable d'interpeller, d'attirer l'attention et de séduire. Or la raison n'est pas toujours le meilleur ami du créateur. C'est davantage son brin de folie qui l'aide. Et comme tout ce qui est spectaculaire, anormal ou original attire l'attention des médias, c'est souvent l'imagination seule qui saura trouver la piste géniale pour se démarquer.

Si l'imagination se cultive, est-ce qu'elle s'acquiert? La création s'enseigne certes dans les départements d'art, de cinéma, de littérature, d'architecture et de communication. Mais le créateur doit posséder quelque chose de plus que les techniques de création appropriées.

Pour trouver de bonnes idées, de bonnes stratégies, de bons slogans, il faut savoir sortir des sentiers battus, aimer jouer avec les mots, innover et parfois choquer. On échappe ici à l'univers rationnel pour tomber dans le symbolique, l'artifice ou l'exceptionnel.

1.3 Des aptitudes particulières

Esprit d'analyse, compréhension, imagination, créativité, dynamisme, omniprésence, interprétation, traduction et quoi encore : voilà des atouts que doivent posséder les personnes pratiquant les relations publiques.

Dans une étude intéressante qu'elle a réalisée auprès des relationnistes, Anne-Marie Losier (1992) présente un tableau des qualités et des aptitudes jugées les plus importantes par ses répondants. Selon son étude, «en relations publiques, les erreurs de jugement ne pardonnent pas. La charge de travail est souvent importante et seul un excellent sens de l'organisation peut venir à bout des horaires chargés». L'expression écrite, la créativité et le leadership sont des qualités qui s'ajoutent au jugement et au sens de l'organisation.

Par ailleurs, on s'attend des relationnistes qu'ils pratiquent leur métier avec passion et responsabilité : la passion pour convaincre, pour avoir le courage de se battre pour défendre avec acharnement ses idées, pour pouvoir travailler avec des contraintes et des horaires souvent inhumains, pour laisser libre cours à la créativité ; la responsabilité, parce que tout ce que fait le relationniste peut entraîner son organisation dans des voies périlleuses ou heureuses ; parce qu'une erreur peut entacher la réputation de l'entreprise ou de la personnalité concernée. Un journaliste qui fait une erreur s'excuse sans plus et n'est jamais tenu responsable des torts irréparables qu'il peut commettre en diffusant certaines informations, s'il reste dans les limites de la loi, bien sûr ; un relationniste qui fait une erreur en est responsable et il doit en rendre compte.

On comprendra que les mêmes personnes ne peuvent pas posséder toutes ces qualités en même temps. Ce qui signifie que les relations publiques offrent à des gens de profils très différents la possibilité de pratiquer ce métier. Mais ceci dénote aussi qu'il s'agit d'un métier difficile.

2. DES CONNAISSANCES PARTICULIÈRES

À côté des connaissances générales que procure une solide formation de base, les relations publiques requièrent du praticien un certain nombre de connaissances particulières.

2.1 La connaissance de l'organisation

Chaque organisation possède une personnalité propre et maîtrise un contenu précis qui lui est particulier.

◆ La spécificité de chaque entreprise

Bombardier fabrique des avions, des wagons, des motoneiges. Hydro-Québec produit de l'électricité ; Alcan, de l'aluminium ; Vachon, des petits gâteaux ; Natrel, des produits laitiers. La Croix-Rouge et Centraide offrent des services sociaux, comme les CLSC et tous les groupes qui se sont consacrés à soulager les misères humaines. Les hôpitaux soignent les malades, le corps médical pose des diagnostics et les chiropraticiens redressent les vertèbres.

Les élus font des promesses, font parfois fi de leurs engagements, se dévouent pour une cause, commettent des indélicatesses, proposent des politiques et se lancent dans des guerres électorales difficiles.

Les chanteurs d'opéra pratiquent un art qui lie le chant au théâtre ; et les sportifs se lancent dans des compétitions qui poussent leur résistance à leur extrême limite.

Dès qu'un relationniste entre au service d'une entreprise, il doit apprendre à maîtriser le contenu propre à celle-ci. Les relationnistes changent de travail régulièrement au cours de leur carrière et doivent donc domestiquer chaque fois un nouvel univers. Ceux qui sont au service d'une agence peuvent travailler pendant la même semaine sur des dossiers au contenu opposé.

Comment un relationniste peut-il proposer des stratégies, répondre aux journalistes et au grand public, défendre sur la place publique une entreprise dont il ne possède pas bien tous les rouages, toute la philosophie et toutes les réalisations ?

◆ Une certaine isolation

À cette obligation de s'approprier un contenu nouveau, s'ajoute une autre difficulté. Dans chaque entreprise ou organisation, une majorité de professionnels d'une discipline donnée partagent entre eux un savoir commun. Ce sont des ingénieurs, des économistes, des actuaires, des ouvriers, des vendeurs, des représentants du corps médical, des artistes, des sportifs.

Les communicateurs sont toujours minoritaires dans les entreprises. Ils ne partagent pas les connaissances de l'ensemble de leurs collègues et pratiquent un métier qui n'est pas très bien compris ni toujours apprécié à sa juste valeur. Pour contrer cette perception et pour être en mesure d'apporter des recommandations qui seront acceptées, il leur faut plonger dans ce contenu et apprendre à le maîtriser.

Si le relationniste n'arrive pas à briser cette isolation, il ne pourra pas s'intégrer à son nouveau milieu, ni jouer son rôle conseil avec efficacité.

◆ L'image de l'organisation

Comment l'organisation est-elle perçue ? Et comment veut-elle être perçue ? Le relationniste doit maîtriser totalement cet aspect. Or, nous l'avons vu, la notion d'image est complexe. Et il ne suffit pas d'avoir de l'intuition pour être capable de la saisir, il faut des études pour en apprécier toutes les dimensions.

2.2 La connaissance du public

Lorsque le relationniste s'est bien intégré à son entreprise et a réussi à en maîtriser le contenu, il lui faut maintenant tisser des liens avec ses différents publics.

Mais, avant de leur parler, encore faut-il qu'il les définisse, qu'il les connaisse et qu'il les comprenne.

Les définir signifie qu'il doit choisir entre la multitude de personnes avec lesquelles il serait intéressant de nouer des relations amicales, celles qui sont prioritaires. Et elles le seront en fonction de la nature de l'entreprise et des objectifs visés.

Doit-il parler au public interne, aux actionnaires, aux clients actuels? Doit-il construire une stratégie auprès des gouvernements? Faut-il combattre un ennemi? Chaque entreprise doit interagir avec de nombreux publics.

Que sait-il de chacun de ces publics? Ont-ils une attitude positive, négative ou neutre? Sont-ils vraiment passifs, indifférents et à la rigueur un peu bêtes et crédules comme certains seraient tentés de le croire?

Qu'est-ce qui motive ses attitudes et ses comportements, qui explique les freins et les résistances qu'il développe face à certaines personnes, à certains produits ou services ainsi que les engouements qu'il cultive pour ces mêmes objets et personnes. Des connaissances en psychologie sociale aident à comprendre comment et pourquoi les gens réagissent positivement ou négativement à certains messages, pourquoi et dans quelles circonstances l'être humain réagit mieux à des messages d'humour, de peur ou de culpabilité.

Le public est-il cet être irrationnel et impulsif qui dirige ses choix par coups de cœur? Ou est-il ce modèle de rationalité qui juge et analyse chacun de ses choix? Ou à quelque part, n'oscille-t-il pas entre les deux attitudes selon les choix qu'on lui propose et son humeur du moment? Sans connaître ces données, comment le relationniste peut-il lui parler avec efficacité?

Que fait-on lorsque l'on sait que les citoyens-consommateurs déve-loppent une certaine réticence à accepter des changements qui leur demandent de modifier leurs habitudes, même si ces changements sont intelligents ? Il faut tenir compte de ce blocage et de tous les freins qui accompagnent les prises de décision.

Comment gère-t-on les rumeurs, les accusations, les spéculations que les groupes d'intérêt font circuler ? Elles sont des réalités pour les médias, et pour les gens aussi. Il faut donc les prendre au sérieux, les contrer rapidement et surtout ne pas penser qu'elles ne reposent sur aucune preuve. Un démenti est essentiel. Mais il faut qu'il soit aussi agressif que l'attaque.

Tous les gens ne réagissent pas de la même façon face aux nouveautés qui leur sont proposées. Il existe ce qu'on appelle un public novateur, qui se rue sur tout ce qui est nouveau ; et un autre appelé retardataire, qui refuse tout ce qui est nouveau. Comment faire pour détecter les premiers, pour éviter de perdre son temps avec les seconds ?

Par ailleurs, devant une même information, le public ne réagit pas toujours de la même façon. Chacun choisit les informations qui l'intéressent. Si une personne ne lit aucun quotidien, elle ne s'expose pas à recevoir certaines informations. Ensuite, chacun discrémine les éléments d'informations qui l'atteignent, et exerce une perception sélective. Puis, il ne se souvient que des aspects qui l'intéressent, ce que l'on appelle la rétention sélective des informations qui circulent. Enfin, même si quelqu'un a vu et retenu une information, ceci ne veut pas dire qu'il est d'accord avec elle. Dans certains cas, il va préférer la rejeter plutôt que de changer de comportement. C'est ce qu'on appelle la dissonance cognitive. Pour ne pas être contrarié par une information qui la dérange, une personne l'interprétera de façon à ne pas se sentir déstabilisée. Dire à un fumeur qu'il risque d'abréger ses jours peut le pertuber. Pour ne pas souffrir de cette révélation, il aura tôt fait de dire que son père fumait et qu'il est mort à 90 ans.

Il ne faut pas confondre l'opinion que peut avoir l'ensemble de la population sur un sujet donné (et qui n'a aucune répercussion sur la réalité parce que ce public ne se mobilise pas) et l'opinion que défend un petit groupe d'intérêt qui se bat avec vigueur sur la place publique pour la faire accepter.

Il faut aussi savoir comment les leaders d'opinion peuvent influencer la circulation des idées. Pourquoi certaines idées ne circulent pas publiquement parce que chacun croit qu'il est seul à partager cette idée. C'est ce qu'on appelle la spirale du silence.

Enfin, l'idée qu'on se fait de l'opinion publique peut aussi influencer les décisions de l'entreprise ou de l'organisation. Des entreprises comme Chrysler ou comme les Pharmacies Jean Coutu ont renoncé à commanditer certaines miniséries de crainte que le public n'approuve pas le contenu de ces séries. Comme celles-ci n'avaient pas été diffusées au moment de la décision des entreprises, c'est donc en vertu d'une opinion appréhendée que la décision a été prise.

Toutes ces connaissances sur le public ne s'improvisent pas. Elles sont le résultat de longues recherches et expérimentations. Cependant, elles doivent faire partie du bagage du relationniste professionnel, car toute stratégie de communication doit s'adresser à l'un ou l'autre de ces publics.

2.3 La connaissance de l'environnement

Même si le relationniste connaît bien son organisation et ses publics, il doit tenir compte de l'environnement dans lequel va s'exprimer son message avant de s'aventurer sur la place publique. En fait, il doit le relativiser face à l'actualité. On n'augmente pas de 15 % le salaire d'un président de compagnie pendant que ses employés sont en grève parce qu'ils estiment ne pas gagner assez. On n'organise pas une conférence de presse en territoire autochtone sur un projet de développement de leur territoire sans leur consentement lorsque l'on connaît la finesse et l'efficacité de leurs réactions. En s'associant avec la société suédoise de télécommunications Ericsson pour sa tournée mondiale, Céline Dion n'avait pas prévu qu'elle serait au centre d'une controverse. Un mouvement international de boycott contre la firme a été lancé par les mouvements des droits de la personne, car cette société transige avec la Birmanie qui a un bilan pour le moins négatif sur la question des droits de la personne. Et c'est sur Internet que ce mouvement de boycott a été lancé.

En fait, toute intervention publique doit intégrer les besoins de l'entreprise, les attitudes du public visé et la complexité du milieu social. Aujourd'hui, une entreprise peut souhaiter construire une nouvelle usine pour améliorer son rendement, et de ce fait les syndicats peuvent espérer la création de centaines de nouveaux emplois. Mais si les citoyens du village où veut s'installer l'usine décident qu'ils ne veulent pas de nouvelles pollutions, ce qui était un bienfait au départ devient une nuisance.

Les entreprises internationales qui désirent conquérir le marché canadien s'adressent habituellement à des intermédiaires torontois. Quand elles s'adressent aux Québécois, elles ont tendance à oublier qu'on parle majoritairement français. Elles choquent alors leur clientèle québécoise. Lorsque l'on sait que de telles entreprises ont demandé aux Québécois, dans les années 1950, de manger des biscuits sales, parce qu'à Toronto on n'avait pas d'accent sur les machines à écrire, on peut les comprendre. Mais 50 ans plus tard, quand une entreprise paie une publicité pour parler aux « ventilateurs sportifs », parce que ses traducteurs n'ont pas réussi à mieux traduire *sport fans*, on se rend compte de ce que veut dire « tenir compte de son environnement ».

L'environnement comprend les contextes physique, démographique, humain, social, culturel, économique et politique. Bien les saisir exige une connaissance fine de l'actualité, car tout fluctue, change, évolue au rythme des interventions des divers partenaires sociaux.

Le relationniste ne peut pas tout savoir. Mais on exige de lui qu'il ne commette pas de faux pas. Il lui faut donc avoir des antennes pour sentir d'où vient le vent. Il peut aussi mettre sur pied des systèmes de surveillance de l'environnement par des analyses de presse quotidiennes, par des sondages ou par des groupes de discussion qui l'aident à prévoir l'évolution des tendances socio-politiques.

L'entreprise doit prévoir l'environnement de demain afin de permettre dès aujourd'hui la mise en marche d'activités à longue échéance qui lui assurent qu'elle sera encore demain en harmonie avec le contexte dans lequel elle aura à vivre.

D'où vient le fait que les entreprises doivent développer une image de responsabilité sociale ? D'une analyse fine de la situation qui témoigne de toutes les malversations, laisser-faire, ambiguïtés, faux-fuyants qu'elles ont utilisés pendant des années. Que signifient les profits mirobolants qu'ont fait les banques pendant plusieurs années ? Entre leurs actionnaires à qui elles devaient rendre des dividendes élevés et leurs clients qu'elles devaient exploiter pour ce faire, elles ont oublié les réactions de ces derniers.

Lorsqu'un président de compagnie décide de fermer une usine, et que ceci résulte en tollés de protestations, de grèves, de marches, d'arrêts de travail, de poursuites judiciaires, nous pouvons conclure que l'entreprise a annoncé sa décision sans préparer le terrain. Ce fut une annonce sauvage. Et elle récolte des conséquences sauvages.

La connaissance de l'environnement est donc une notion stratégique qu'un relationniste doit acquérir. Tout sourire, toute poignée de main franche seront totalement détruits s'il n'y a pas derrière une certaine profondeur d'être.

2.4 La connaissance des techniques de recherche

On aura compris que, si l'on veut dépasser le stade des impressions au niveau de l'entreprise, de ses publics et de son environnement, il faut faire des recherches.

Pour connaître l'image et la notoriété d'une entreprise, pour bien saisir la nature du climat qui règne à l'interne, pour comprendre la dynamique qui s'exerce entre les divisions d'une entreprise, des recherches élaborées s'imposent.

Que sait-on de ses publics et comment le sait-on ? Des sondages, des enquêtes, des entrevues permettent de cerner le profil de ses publics, de bien saisir les raisons de leurs comportements.

Pour être capable de bien comprendre l'environnement, il faut posséder une connaissance sans faille de l'actualité, avoir une mémoire du passé qui permet de restituer dans le temps chaque décision pour éviter les situations embêtantes de bégaiement historique où l'on répète les mêmes erreurs par absence de vue en profondeur. Le recours aux revues de presse constitue souvent un excellent moyen de surveiller les grandes tendances de l'évolution sociale car il est rare qu'une crise ou qu'un changement marquant ne s'opèrent sans que des signes avant-coureurs ne les aient annoncés.

Des recherches s'imposent à toutes les étapes de la réalisation d'une stratégie de communication. Plus elles seront réalisées scientifiquement, plus les données qui permettront au relationniste de construire ses stratégies seront exactes, meilleures seront les campagnes d'information.

La recherche implique des connaissances en psychosociologie, en méthodologie et en statistiques. Elle s'exerce avant, pendant et après la campagne : avant, pour connaître la situation et pour tester des hypothèses d'approche et de messages ; pendant, pour s'assurer que le public cible répond aussi bien que le public témoin qui a servi d'échantillon au départ ; après, pour évaluer les résultats de la stratégie.

Ces évaluations finales permettent de comprendre ce qui a fonctionné et ce qui n'a pas fonctionné dans la campagne et constituent une banque d'informations qui sera utile au moment de créer la prochaine campagne. L'évaluation n'est pas une sanction que l'on exerce pour savoir si le travail a été bien fait ; c'est un outil d'orientation. Il est aussi important de savoir pourquoi une campagne n'a pas fonctionné comme prévu pour se réaligner la fois suivante que de se féliciter parce que la campagne a été reçue avec grande satisfaction, mais sans apporter les changements de comportements souhaités.

3. LES EXIGENCES PROFESSIONNELLES

Pratiquer le métier de relationniste, c'est posséder un certain nombre de connaissances précises sur les communications. C'est ici que se dessine le profil du spécialiste des relations publiques qui maîtrise un univers de connaissances qui lui est propre.

3.1 La connaissance des médias

Il n'y a pas d'existence publique sans médiatisation. Ce sont les médias qui donnent existence à toute idée, à toute contestation, à tout développement. Pour exister, il faut donc nécessairement avoir l'appui des médias. Une bonne idée, un changement d'orientation, de nouvelles directives n'ont de valeur qu'en autant qu'ils soient connus. Autrement, la décision demeure confidentielle et inopérante.

C'est par les médias qu'une bonne partie des relations publiques se transige. C'est pour eux que des événements et des manifestations sont organisés, que des discours sont rédigés, que des conférences de presse sont tenues.

Le relationniste doit donc bien connaître les médias. Chaque média possède une personnalité propre. *Le Devoir,* le *Journal de Montréal, Allô Police* et *Echos Vedettes* ont des caractères distincts. Ils ne traitent pas des mêmes sujets, n'abordent pas les faits de la même façon et ne s'adressent pas à la même clientèle. Chaque poste de radio et de télévision, chaque émission rejoint des cibles différentes. Quel est le meilleur véhicule pour diffuser son message?

Le relationniste doit également connaître la façon de travailler des médias. Les journalistes, dans la grande majorité des cas, répondent aux sollicitations qui leur sont proposées. Chaque matin, ils choisissent, parmi les invitations qu'ils ont reçues, celles qu'ils jugent les plus pertinentes. Mais, s'ils ne sont pas avisés de la tenue d'un événement, il y a de fortes chances que celui-ci passe inaperçu. Le journaliste ne cherche donc pas toujours l'information, il gère l'information qui lui est acheminée. Il faut être proactif face aux médias. Et compte tenu de la diminution des journalistes dans les médias, ceux-ci ont de moins en moins de temps pour chercher la nouvelle, pour la comparer. Ils se fient donc aux sources qui les alimentent. Si la source est légitime ou connue, le journaliste ne se demandera pas si l'information est fondée ou non, il la diffusera. De ce fait, le journaliste n'est pas toujours responsable des éléments négatifs qui circulent autour d'une organisation. Ce sont les groupes de pression qui les alimentent qui créent une telle situation ; et le silence de l'organisation permet à ces discours négatifs de se propager sans rectification.

Chaque média a des heures de tombée qu'il doit respecter. Pour que le journal sorte à l'heure, pour que le bulletin d'information entre en ondes à partir d'une heure donnée, il arrive un moment où il n'est plus possible d'ajouter de l'information.

Tout propos livré à un journaliste peut devenir une nouvelle. Un refus de répondre au téléphone, une hésitation avant de répondre, une conversation amicale, un sourire complice, une information donnée sous le sceau de la confidentialité constituent des éléments de nouvelles pour un journaliste. La règle d'or, c'est qu'on ne dit pas ce qu'on ne veut pas voir répéter.

Les nouvelles sont rédigées par des journalistes qui sont attachés à un secteur de l'activité humaine : politique, économie, culture, sport, éducation, santé. Il en est de même des éditorialistes qui traitent certains sujets de façon plus particulière. Le relationniste doit apprendre à les repérer et à les connaître. Les grandes émissions d'information à la radio et à la télévision sont préparées par des recherchistes et non par les animateurs vedettes.

Par ailleurs, les médias électroniques recherchent des *clips* d'information de 30 ou 50 secondes pour que les propos tenus par leurs interlocuteurs cadrent bien dans les bulletins d'information. On ne demande pas aux interviewés de jeter de la lumière sur le sujet en question, mais bien de le situer dans ses grandes lignes dans les plus brefs délais. Les chefs d'entreprise et les représentants d'organisation se feront conseiller par les relationnistes pour apprendre à composer des déclarations courtes et percutantes. Comme souvent ils ne savent pas le faire, ce sera au relationniste de le leur montrer.

Le journaliste devient donc un allié pour ceux qui se donnent la peine de l'alimenter en information. Or une information, pour un média, c'est une nouvelle. Et une nouvelle, nous le répétons, est un écart à la norme. Présenter ses informations comme des normes est donc peu intéressant. Il faut savoir mettre en scène les informations de façon à ce qu'elles soient perçues par les journalistes comme dignes de nouvelles.

Il faut se rappeler que ce qui crée la nouvelle, ce n'est pas l'importance que l'organisation attribue à celle-ci, mais bien ce que les journalistes perçoivent comme tel. C'est ce qu'on appelle la logique médiatique. Dans cette logique, les personnalités font la nouvelle dès qu'elles ouvrent la bouche. Tout ce qui est singularité, spectaculaire, controversé devient objet de nouvelle et souvent le futile prime l'utile. Il faut aussi savoir que la meilleure performance d'un comédien, la meilleure décision d'un homme politique sera anéantie dans les nouvelles, s'il trébuche en quittant l'estrade.

Les journalistes par ailleurs ne sont pas les perroquets des relationnistes. Ils ont un pouvoir immense. Ils font et défont des présidents et des premiers ministres. Ils créent et détruisent des vedettes. Ils peuvent stimuler la croissance d'une entreprise comme l'amener à la faillite. Ils exercent un rôle critique essentiel de la société. Et ils conservent une liberté totale d'utiliser à leur façon toute information qui leur est acheminée.

Il existe toutefois un certain froid entre les deux professions. Les relationnistes souffrent du fait que les journalistes n'ont pas toujours le temps de vérifier et de contrôler les informations qu'ils diffusent, se contentant d'avoir une source à qui attribuer l'information. Les journalistes dénoncent l'omniprésence des relationnistes et le contrôle qu'ils exercent sur les informations qui circulent. Ces deux réalités peuvent s'expliquer par la nature des deux professions. Mais elles sont incompatibles. On les appelle les frères ennemis, parce qu'ils dépendent fondamentalement l'un de l'autre pour exercer leur métier, mais ils n'ont pas les mêmes préoccupations et ne poursuivent pas les mêmes objectifs. Le relationniste veut mettre en valeur son organisation, son service, sa cause ; le journaliste veut donner au public une information neutre et véridique. De ce fait, il aura tendance à se méfier des informations qui lui sont fournies par les organisations, ce qui accentue le fossé entre les deux catégories de professionnels.

3.2 La connaissance des stratégies de communication

Le travail du relationniste consiste à préparer des stratégies de communication qui s'expriment dans des plans de communication. Il est donc essentiel qu'un relationniste connaisse bien toutes les étapes du cheminement d'un plan de communication.

Ce travail commence avec une interrogation. Y a-t-il un problème à régler, un enjeu à découvrir, une personnalité à faire connaître, une idée à faire partager, une image à construire, un courant de sympathie à créer ?

La première étape à franchir n'est pas de savoir comment on va présenter le message, mais bien de déterminer la préoccupation à présenter et de juger le bien-fondé de sa diffusion. Le travail du relationniste commence donc d'abord par un rôle de recherche. Il doit décider du thème sur lequel devra porter la campagne, le faire approuver, évaluer le moment le plus opportun pour le diffuser auprès de cibles qu'il va lui-même définir. C'est seulement après ces démarches qu'il va se demander *comment* les faire circuler.

Contrairement aux journalistes qui se voient offrir la nouvelle toute préparée par les relationnistes, ceux-ci doivent la créer de toute pièce. De ce fait, le relationniste, en un sens, doit avoir aussi le tempérament d'un bon journaliste pour savoir saisir ce qu'est une nouvelle et savoir la présenter comme telle.

Pour le relationniste, il faut :
- avoir quelque chose à dire, c'est-à-dire avoir un bon message à livrer ;
- ou savoir dire quelque chose, c'est-à-dire avoir une bonne stratégie pour passer un message ordinaire.

Pour en arriver là, il faut être capable d'assumer un certain nombre de tâches.

La compréhension du problème : un rôle d'analyste

Un mandat, c'est une préoccupation qu'exprime une organisation. Une fois que la préoccupation est connue, il faut la situer dans un contexte plus général pour bien en comprendre toutes les dimensions. La première démarche est de se familiariser avec l'état des lieux, soit faire une analyse de la situation.

◆ Connaître l'organisation

Quel est le *statut* de l'organisation ? On n'intervient pas sur la place publique de la même façon s'il s'agit d'une entreprise privée ou publique. La première n'a pas le même devoir de réserve que la seconde ; mais en revanche, elle peut pratiquer une discrétion que lui interdit le statut de l'autre.

Une organisation a une *histoire*. Et celle-ci se caractérise par des dates clés qui peuvent devenir des événements phares dans la stratégie de communication. Un 25e anniversaire se célèbre avec panache et cela suffit pour attirer l'attention des médias. Mais un premier anniversaire se note aussi.

Une organisation a aussi une *image*. Est-elle perçue positivement ou négativement? Et par qui? Comment se présente cette image? S'agit-il d'une notoriété ou d'une estime réelle?

Quelle est la culture d'entreprise? Existe-t-il un sentiment d'appartenance à l'interne? La connaissance du milieu de travail est essentielle pour mieux comprendre les vrais enjeux de l'intérieur.

◆ Connaître les biens et les services

Chaque organisation met en circulation des *biens, des services ou des idées* qui lui sont propres. Comment peut-on les définir? Quelles en sont les forces et les faiblesses? Quel en est le prix? Et quels avantages relatifs présentent-ils face aux autres produits de même nature?

◆ Connaître ses publics

Toute organisation travaille avec des publics variés. D'abord, il y a les publics internes qui sont composés de multiples corps d'emplois. Ils participent à une certaine hiérarchie et ressentent une animosité ou une sympathie envers la direction.

L'entreprise a aussi des publics intermédiaires, des fournisseurs, des actionnaires, des transporteurs. Comment perçoivent-ils l'entreprise?

Puis il y a le public externe, les clients actuels et potentiels, les indifférents et les gens hostiles. Il y a les concurrents, les idéalistes, les activistes, les sceptiques et les législateurs. Tous ces publics peuvent intervenir sur les orientations et les développements de l'entreprise. Le relationniste doit donc savoir qui ils sont, ce qu'ils pensent et quel comportement ils adoptent face au produit.

◆ Connaître l'environnement

Toute action de relations publiques se déroule dans un contexte donné. Il faut donc savoir le situer dans son environnement social, culturel, politique et économique. Nous avons traité de ce point plus haut. Mais c'est ici qu'il prend sa véritable dimension.

La connaissance de ce contexte permet d'éviter plusieurs faux pas, mais aussi de profiter de circonstances favorables au développement de l'entreprise.

◆ Connaître les communications antérieures

Quels ont été les grands axes des communications antérieures ? Pourquoi certains ont-ils obtenu plus de succès que d'autres ? Quelles expériences ont été les plus remarquées ? A-t-on connu quelques revers dans les communications antérieures ? Si oui, a-t-on cherché à les expliquer ?

La connaissance de toutes ces données permet de construire un nouveau plan en s'appuyant sur les forces des plans antérieurs et en essayant d'éviter leurs faiblesses. Si cette analyse n'est pas faite de façon systématique, chaque nouveau plan peut répéter les erreurs du passé ou être aussi médiocre que les autres.

L'ensemble des éléments de ce premier point permet au relationniste de bien connaître l'état des lieux lorsqu'il aborde la préparation de son plan de communication. Il s'agit d'une étape indispensable car toutes les étapes suivantes vont venir se greffer sur elle.

À la fin de cette étape, le relationniste doit avoir un portrait extrêmement juste de la préoccupation, du problème, du défi à gérer, puisqu'il l'a restitué dans un contexte plus large.

La formulation des objectifs et le choix des cibles : un rôle de conseiller

L'analyse de la situation constitue un point zéro dans le plan. Elle décrit l'état présent des choses. Le relationniste doit maintenant préciser où il veut aller à partir de ce point. Les objectifs permettent de déterminer l'écart que l'on veut parcourir entre la situation actuelle et celle que l'on souhaite atteindre.

L'objectif comprend diverses composantes ; d'abord un *objet précis* sur lequel on a prise. Si l'objet est insaisissable, il est certain qu'on ne sera pas capable de l'atteindre. Vouloir créer un sentiment d'appartenance dans un milieu donné est certes intéressant. Mais un sentiment ne se mesure pas. Il s'exprime à travers des gestes concrets. Ce sont eux qui doivent être décrits dans les objectifs. On peut ainsi souhaiter une plus grande participation à certains événements. Celle-ci se mesure et peut traduire le sentiment d'appartenance des gens à une communauté, à une cause.

Ensuite, il faut prendre en considération qu'on ne peut tout dire à tout le monde en même temps. Il faut donc arrêter des *cibles* particulières. Veut-on parler aux actionnaires? A-t-on l'intention de fidéliser sa clientèle ou cherche-t-on une nouvelle clientèle? Veut-on attaquer ses concurrents, combattre ses adversaires? Chaque cible exige un objet particulier.

Par ailleurs, les cibles ne partagent pas toutes le même état d'esprit. Certains groupes ou publics ne connaissent pas le produit, le service ou la cause. D'autres le connaissent mais ne l'aiment pas. Enfin, certains le connaissent, l'aiment, mais ne l'utilisent pas. À quelle *tâche de communication* veut-on s'attaquer? À l'information, au changement d'attitude ou au changement de comportement? Pour chaque cible, on devra préciser la nature du changement souhaité.

À cela s'ajoute le *degré* de changement souhaité. Veut-on provoquer un changement d'attitude ou de comportement auprès de 10%, 20% de la cible visée? Souhaite-t-on augmenter ses ventes de 5%, sa notoriété de 10%? Il est essentiel de préciser ce degré de changement, car autrement tout succès, même insignifiant, peut donner l'impression que la campagne a bien fonctionné. Augmenter sa notoriété de 1% est en soi un avantage. Mais, si l'on visait 10%, c'est un échec.

Enfin, il faut préciser la durée requise pour atteindre l'objectif. Veut-on augmenter la notoriété de l'entreprise au cours du premier mois, de la prochaine année ou de la prochaine décennie?

Un objectif pourrait alors se traduire de la façon suivante: «Augmenter de 10% la reconnaissance spontanée de l'entreprise lors du sondage annuel auprès des 24-35 ans qui ne sont pas des clients de l'entreprise».

C'est en ce sens que le relationniste devient un conseiller. C'est lui qui devra préciser tous ces éléments. Et cela lui sera d'autant plus facile que l'analyse préalable de la situation aura été bien faite.

La présentation de la stratégie: un rôle de stratège

Pour faire des bons coups, pour éviter les erreurs et pour prévenir l'effet boomerang, une stratégie ne s'improvise pas: elle se construit. Pour faire connaître un produit, on n'utilise pas les mêmes moyens que pour provoquer un changement de comportement. Pour faire changer d'idée une personne, il faut se demander si cela nécessite de sa part un engagement profond ou léger. On n'amène pas les gens à essayer une nouvelle bière comme on tente de les amener à opter pour une nouvelle religion. C'est ici que se structurent les stratégies adéquates pour atteindre les objectifs.

S'il est relativement facile de faire connaître une idée, un service ou un produit, il est plus difficile de le faire *accepter* et il est très compliqué de le faire *adopter*. Chaque étape exige des stratégies différentes.

Il faut savoir au départ que le problème ou la préoccupation en jeu n'intéresse personne *a priori*, qu'il n'est qu'un parmi des centaines d'autres. Il faut savoir le convertir en préoccupation pour les autres, en enjeu social, en générosité ou en symbolique.

Les stratégies doivent s'élaborer autant à l'interne qu'à l'externe, selon les objectifs visés. Mais on utilise les mêmes approches : est-ce que l'on essaie de séduire ou de convaincre ? Veut-on *inciter* le public à réagir par une approche de facilitation, comme lui donner un coupon rabais ? Ou veut-on le *persuader* par une campagne qui lui permettra d'intérioriser le message ? Dans le premier cas, on demande à la cible d'avoir un comportement donné sans se soucier si elle partage ou non les objectifs qui sous-tendent l'opération. Dans le deuxième cas, on recherche un engagement personnel et profond de la part de la cible.

Or chacune de ces avenues nécessite des techniques et des messages différents. Par une conférence de presse, on peut faire savoir au monde entier que Perrier a trouvé du benzène dans son eau pure ou que Benetton vient de lancer une nouvelle campagne d'affiches. Mais aucune conférence de presse ne réussira à chasser d'un milieu un préjugé bien ancré.

Il existe donc des stratégies pour attirer l'*attention*, d'autres pour provoquer un changement d'*attitude* ; et certaines sont plus efficaces pour amener un changement de *comportement*.

De ce fait, les stratégies visant à construire une image institutionnelle seront différentes de celles qui prônent l'adoption d'un nouveau comportement. Il faut aussi savoir que, selon l'identité et le caractère de la source, les stratégies se démarqueront. S'il suffit à un ministre, à un président d'une grande entreprise ou à une vedette de faire un discours pour attirer l'attention des médias, il n'en est pas de même des petits

groupes contestataires qui doivent joindre l'action à la parole et organiser des manifestations, des marches, des pétitions, des coups d'éclat
pour obtenir la même attention des médias.

Déterminer les bonnes stratégies afin d'atteindre les objectifs
auprès des cibles déterminées nécessite une certaine expérience professionnelle, une connaissance profonde des forces et faiblesses de chacune
des techniques et une bonne perception de l'état d'esprit des cibles
visées.

Entre le silence qui s'impose et qui ne coûte rien et les stratégies
à grand déploiement qui peuvent exiger des centaines de milliers de
dollars, il y a de la place pour de multiples avenues.

Le choix des techniques : un rôle d'expertise

C'est par les techniques de communication que se matérialisent les
stratégies choisies. Les techniques constituent donc à la fois un savoir-
être et un savoir-faire. Un savoir-être, car il faut connaître le pouvoir de
chacune des techniques et ses capacités de résoudre des défis ; un savoir-
faire car, une fois la technique arrêtée, il faut la mettre en exercice.
Décider de faire une conférence de presse est une chose ; organiser une
conférence en est une autre. Décider de produire une vidéo institutionnelle est très différent du fait de la produire.

Les techniques exigent donc un pouvoir de réflexion, d'une part, et
une expertise professionnelle, d'autre part. Souvent, dans les plans de
communication, ce ne sont pas les mêmes personnes qui réalisent les
deux phases. On aura recours à des relationnistes chevronnés pour
décider de la meilleure technique utile. Et on demandera à des spécialistes de chacune d'entre elles de les réaliser.

Un bel exemple de l'utilisation d'un ensemble de techniques fut le
lancement de la série télévisée *Urgence*, à la fin des années 1990. Lors de
la campagne de promotion de la série, on organisa un événement, soit
une collecte de sang sur le plateau de tournage, afin d'attirer l'attention
des médias sur la série.

Comme *relations de presse*, la comédienne de la série participa, cos-
tumée en médecin, à la conférence de presse de la Croix-Rouge pour
annoncer la collecte de sang. Deux jours avant le lancement de la série

à Radio-Canada, le quotidien *La Presse*, qui était associé à ces émissions, lançait aussi sa série de reportages sur les salles d'urgence de divers hôpitaux. La série de *La Presse* se nommait comme par hasard «Urgence». Le quotidien s'est aussi offert de la publicité radio pour annoncer ses reportages, encore là, avec le mot urgence scandé à gauche et à droite.

L'émission *Montréal, ce soir* a participé à la controverse autour de la série *Urgence* en donnant la parole à des infirmières mécontentes de la manière dont la série présentait leur rôle dans l'hôpital. Les auteurs Fabienne Larouche et Réjean Tremblay étaient aussi invités à donner leur point de vue. Le tout n'était finalement qu'une vaste entreprise de promotion de la série, déguisée en information.

Au début de ce livre, nous avons discuté de quelques techniques de communication comme la publicité, la commandite, les affaires publiques et le lobby. Nous approfondirons ce sujet au prochain chapitre consacré aux techniques.

Le choix des médias : un rôle technique

Nous avons traité plus haut de la connaissance des médias. C'est à cette étape-ci que cette connaissance prend sa véritable dimension. Il faut maintenant choisir quel média ou quelle famille de médias est le plus adéquat pour atteindre les objectifs retenus.

Ainsi, les médias électroniques constituent des outils extrêmement puissants de diffusion de l'information. Considérant que chaque famille possède un minimum de cinq postes de radio, que chaque Québécois regarde la télévision quelque 25 heures par semaine, ces médias sont donc essentiels à toute stratégie de communication. Or, parce que ce sont des médias de l'instantané et du spectacle, ils sont difficiles d'accès pour les non-initiés. Il faut donc apprendre les caractéristiques propres à chaque média électronique de façon à les apprivoiser et à savoir comment les intégrer dans une stratégie de communication.

Il faut aussi savoir que chaque média, chaque émission de radio et de télévision, chaque quotidien et chacun de ses cahiers, chaque revue rejoignent une clientèle bien particulière. Par les sondages et les enquêtes, on peut connaître les profils démographique, géographique et économique, les habitudes de consommation de biens, de services et de médias de chacune de ces clientèles. C'est ainsi que, lorsque l'on a recours à la publicité, trouver le média, l'émission ou la section d'un quotidien qui atteint le mieux sa cible relève d'experts en médias. Ces personnes sont familières avec les banques de données; elles sont capables de les interpréter et elles savent évaluer le coût d'achat de chacune d'elles.

Ainsi, un premier ministre en campagne électorale peut choisir une émission politique ou une émission de variétés pour annoncer certaines politiques. Pour rejoindre des jeunes, l'archevêché peut choisir des émissions de musique rock à la radio plutôt qu'une émission religieuse.

Le choix des supports: un rôle d'imagination

Les supports regroupent tous les outils qu'utilisera le relationniste pour compléter le plan de communication. Dans les supports *écrits*, on retrouve, par exemple, les dépliants et les brochures. Ce sont des supports traditionnels. Avec un peu d'imagination, on pourra utiliser toutes sortes de supports: des cartes postales, des œufs, un matador, une vedette de tennis ou un coureur automobile. Il n'y a aucune limite à ce que l'on peut trouver.

Il en est de même pour tous les types de supports: les supports *graphiques* comprennent les affiches traditionnelles, mais aussi les bandes dessinées par exemple. Les supports *visuels* comprennent les vidéos, mais aussi les banderoles. La vidéo remplace maintenant le communiqué et certaines entreprises n'hésitent pas à faire parvenir à leur clientèle l'attrait du son et de l'image. Les objets sont innombrables: de la mascotte au stylo seringue, tout sert à promouvoir une idée, un produit, un service.

Les messages: un rôle de créativité

Quel message va-t-on transmettre aux médias que l'on veut rejoindre? Que va-t-on écrire dans les dépliants que l'entreprise va produire? Quel slogan, quel jeu de mots va entrer dans le message? Comment atteindre la corde sensible qui éveillera chez le récepteur le sentiment que l'on veut nourrir?

Tout texte doit traduire l'idée que veut diffuser l'émetteur ; mais il faut aussi qu'il corresponde à ce que peut accepter le récepteur. Écrire est un art. Bien écrire pour séduire et convaincre est en même temps un métier et une œuvre de création. Car le rédacteur doit créer le concept, manipuler des mots, les traduire dans des idées qui tiendront compte à la fois des objectifs à atteindre et de l'axe à privilégier. En même temps, le texte devra correspondre aux techniques utilisées : entre un dépliant de 10 pages et une publicité de 30 secondes, on ne compose pas le message de la même façon. Pour faire une vidéo, il faut savoir écrire un synopsis et un scénario. Enfin, le message devra toujours s'adapter au langage de la cible.

La production : un rôle de spécialiste

Lorsque le message est composé, il faut le mettre en forme. S'il est écrit, il faut trouver le bon caractère d'imprimerie qui correspond à la personnalité du message, il faut agencer les paragraphes pour que la lecture ne soit pas trop difficile, trouver les photos ou les illustrations, choisir les couleurs, déterminer l'allure générale. Il faudra ensuite passer à l'impression. Il s'agit là d'une tâche de spécialiste et ce sont habituellement des graphistes qui s'en occupent.

S'il s'agit de produire une vidéo, on doit avoir recours à un cinéaste, à des monteurs, à des musiciens, à des comédiens, à des éclairagistes et à un réalisateur pour coordonner tout ce monde. Ce sont tous là des métiers très spécialisés qui viennent compléter, sinon rehausser, le travail du relationniste.

Le budget et le calendrier : un rôle de logistique

Un plan de communication se réalise à l'intérieur d'un budget donné, dans un laps de temps déterminé et avec des ressources humaines limitées. Lorsque la date d'un événement qui doit être mis sur pied est arrêtée, c'est le compte à rebours qui commence. Il faut s'assurer que toutes les pièces requises pour le succès de l'opération s'arriment bien les unes aux autres, soient prêtes à temps et soient à la hauteur de l'image de l'entreprise.

Par ailleurs, il y a un coût à assumer pour chacune des étapes précédentes. Une conférence de presse peut coûter 100 $ ou plusieurs dizaines de milliers de dollars, selon la complexité de l'opération, sa dimension et les tarifs demandés par ceux qui doivent l'organiser.

Aux coûts des opérations s'ajoutent ceux des ressources humaines. Combien de personnes sont-elles requises pour réaliser la stratégie proposée ?

Le travail d'un bon relationniste gestionnaire consiste à surveiller les échéanciers qu'il s'est donnés, à s'assurer qu'il a établi un calendrier pour chacune des étapes à franchir et qu'il contrôle les coûts des opérations en fonction du budget alloué et à gérer le personnel qu'il a requis.

Il s'agit là d'opérations logistiques et comptables. Si elles ne sont pas bien tenues, on fera face, à quelques jours de l'événement, à une panique générale ou tout devra être réalisé en catastrophe, avec des coûts plus élevés et une surveillance moindre. Il est alors risqué d'oublier une étape, un élément qui viendra ternir le déroulement de l'opération.

Le relationniste doit donc développer un caractère de comptable avare, une vigilance de garde-chiourme, et savoir en même temps stimuler le créateur pour qu'il se dépasse et le fouetter pour qu'il respecte son calendrier, et animer les autres ressources humaines dont il aura besoin. Il est le maître d'œuvre de l'opération et, de ce fait, doit faire preuve d'une logique à toute épreuve dans le déroulement de chacune des étapes.

L'évaluation : un rôle de recherche

Lorsque la campagne est terminée et que les messages ont été diffusés, il faut s'arrêter et évaluer l'efficacité et la pertinence de ce qui a été fait, soit procéder à une évaluation. Tout s'évalue : la décision d'avoir lancé la campagne, les objectifs, les cibles, les stratégies, les techniques, les médias, les moyens, les messages et le budget. Mais on doit aussi évaluer l'effet sur l'image, sur les revenus, sur le développement de l'entreprise.

Lors de ces enquêtes, on se rend compte parfois que l'on a mal évalué l'attitude de ses publics, que les messages ont été mal interprétés, que la préoccupation initiale ne méritait pas l'énergie dépensée. Mais, en même temps, ces recherches permettent de découvrir que d'autres préoccupations animent les publics cibles ou que certains messages ont obtenu une très grande attention.

Tous ces éléments servent certes à juger la campagne qui vient de se terminer, mais aussi à acquérir des outils nouveaux pour la prochaine campagne. L'évaluation n'est pas seulement un jugement sur ce qui a été fait; c'est un outil d'orientation pour ce qui devra être fait à l'avenir.

Ces évaluations exigent une grande rigueur d'exécution et relèvent des techniques de recherche.

On se rend compte que, pour réaliser une stratégie de communication, de nombreux éléments entrent en jeu. Il est donc nécessaire de bénéficier de la complicité de personnes ayant des profils de carrière très différents.

3.3 La connaissance des techniques de communication

Nous avons vu au point 3.2.4 l'utilité de connaître les techniques de communication. Par ce terme, on englobe tous les outils utiles à la réalisation d'un plan de communication, c'est-à-dire les techniques elles-mêmes, mais aussi les moyens et les supports.

En fait, pour réaliser des stratégies, le relationniste doit posséder un savoir-faire approprié. Il est, en quelque sorte, un emballeur professionnel. Selon les dossiers, les situations, les employeurs, les publics à atteindre, il modifiera la présentation d'un contenu qu'il ne définit pas nécessairement lui-même. Il aura recours à des techniques diverses pour diffuser le même contenu dans des circonstances différentes. Or, ces techniques sont multiples et ne peuvent être enseignées dans toute leur complexité pour deux raisons :

  — les personnes n'ont pas tous le même talent pour l'ensemble de ces techniques ;

— la diversité des techniques exigerait une somme impressionnante de connaissances pour être maîtrisée par tous les relationnistes. De l'écriture à la publicité en passant par le journalisme, la radio, la télévision, le tridimensionnel ou l'interactif, personne n'a intérêt à éparpiller son champ d'excellence entre tous ces domaines.

Pour bien exécuter leur mandat, les relationnistes doivent tout au moins *connaître* les différentes techniques. Il faut ensuite qu'ils puissent en *maîtriser* les grandes lignes, s'ils veulent être capables d'y avoir recours avec intelligence. Enfin, on conseille aux relationnistes de bien *apprivoiser* au moins une technique en profondeur, de façon à en comprendre la complexité et d'être ainsi en mesure de saisir celle des autres techniques.

La technique de base : l'écriture

La première technique, et la plus importante, est certes l'écriture. Tout support écrit nécessite une maîtrise parfaite de la langue. Mais on oublie que tout support audiovisuel en exige de même. Une publicité, un audiovisuel ou une bande sonore commence par un synopsis écrit et se termine par une expression orale. Dans tous les cas, les mots revêtent une réelle importance. L'art de savoir traduire en des mots des sentiments, des idées politiques, des éléments de controverse, la nécessité de créer du symbolique parce que la communication habile aujourd'hui les éléments en valeur, requiert une connaissance parfaite du langage. Aujourd'hui, on n'achète plus des oranges pour apaiser sa faim, mais pour préserver sa santé en mangeant des vitamines ; on n'achète plus du savon pour être propre, mais pour acquérir de la séduction.

L'écriture s'exprime dans les communiqués, les pochettes de presse, les brochures, les dépliants, les discours, les rapports annuels, les lettres, les demandes de renseignements, les plaintes, les procès-verbaux, les bulletins internes et externes, les documents audiovisuels de toute nature, les affiches, les supports tridimensionnels, Internet, la publicité, etc. En fait, tout est langage en communication, sinon c'est le silence.

Pour bien jouer son rôle de communicateur, le spécialiste des relations publiques doit connaître à la fois les canaux de communication et le langage. C'est dans cet aspect particulier de sa tâche qu'il sera appelé à écrire des communiqués, à préparer des causeries, à faire des films, à organiser des rencontres avec différents groupes ou à instaurer des programmes de communications internes.

Les communications de masse

Les communications de masse rejoignent en même temps un grand nombre de personnes. Elles s'opposent aux communications personnalisées qui n'atteignent qu'un petit groupe de gens en même temps.

Les relations de presse

Les relations avec les médias constituent le fer de lance de toutes les relations publiques. Ce que recherche le relationniste, c'est attirer l'attention des médias de façon à ce qu'ils amplifient les informations qui leur sont confiées.

Le communiqué est l'outil de base de ces relations. Pour le rédiger, il faut suivre la règle de la pyramide inversée qui consiste à mettre au début ce qui constitue la base de la nouvelle, donc ce qui est le plus important. Puis, on aligne les informations des plus importantes vers les moins importantes. Comme il s'agit d'un document officiel d'une entreprise, le communiqué sera ensuite vu, revu et corrigé. Ensuite, on choisit le moment le plus approprié pour le diffuser. On peut le réserver à un seul journaliste qui en fera un *scoop* car il sait qu'il est le seul à posséder la nouvelle. Ou on le distribue à tout le monde pour obtenir une plus grande diffusion. Pour une entreprise, donner l'information à un seul journaliste permet d'obtenir une plus grande attention, car ce n'est plus seulement le contenu qui est mis en valeur, mais surtout le fait que le contenu est inédit.

Au-delà du communiqué, il y a aussi la conférence de presse, les rencontres de presse, les exposés de presse (*briefings*), les points de presse, situations où un porte-parole doit affronter les journalistes. Comment préparer cette personne à répondre aux questions des journalistes, surtout s'ils veulent savoir ce que n'a pas envie de dire cet interlocuteur? Comment ne pas ébruiter une transaction importante lorsque l'on doit rencontrer les journalistes pour leur faire part d'un changement dans les actionnaires majoritaires? Il n'y a pas de réponse absolue à ces questions, mais il y a une règle du jeu qu'il faut connaître : ne jamais mentir. Un certain président américain a payé cher de mentir inutilement. Mais de là à livrer toute sa stratégie, il y a une marge. Il faut donc savoir doser entre la réserve nécessaire et le discours utile. Le relationniste a le devoir de taire ce qui risquerait de nuire à son entreprise. Pour les journalistes, il y a là une manipulation évidente. Pour le relationniste, sa mission est de mettre en valeur son organisation et non de mettre en péril son organisation devant les journalistes. En effet, certains de ceux-ci pratiquent le droit du public à l'information comme une forme d'inquisition où chaque organisation doit venir se confesser publiquement de toutes ses errances appréhendées ou réelles devant le noble justicier.

La participation aux émissions de radio ou de télévision, la rédaction d'opinions libres, l'invitation aux tribunes téléphoniques, les avis professionnels donnés sous forme de rubrique spécialisée constituent d'autres avenues pour les relationnistes d'avoir accès à l'espace public. Chacune de ces approches nécessite des connaissances particulières pour bien les maîtriser.

Par ailleurs, il faut aussi tenir compte des demandes des journalistes qui recherchent, lorsqu'ils en ont le temps, des compléments d'information aux textes qu'ils préparent, qui tentent de vérifier certaines informations qui n'ont pas été confirmées ou qui suivent une piste qu'ils veulent explorer. Le relationniste devra donc apprendre à travailler avec célérité et rigueur : célérité parce qu'habituellement le journaliste a besoin de l'information pour le texte qu'il veut remettre la journée même ; rigueur, car toute information erronée est vite découverte et le relationniste doit en porter le blâme.

Enfin, l'organisation d'événements constitue un moyen intéressant d'attirer les médias. Ces événements prennent toutes sortes de formes : le lancement d'une politique, les portes ouvertes, la manifestation de quelques milliers de personnes, la tenue d'une exposition dans un musée, la levée de la première pelletée de terre, la journée thématique ou la célébration d'un anniversaire. Seule l'imagination peut limiter la nature des événements qui peuvent être organisés par une entreprise ou une organisation.

Pour être en mesure d'attirer l'attention des journalistes, de faire en sorte qu'ils n'hésitent pas à avoir recours aux services du relationniste, celui-ci doit établir et entretenir des liens de sympathie, de confiance et de crédibilité avec eux. Sans ces liens, des rapports de méfiance peuvent se construire, ce qui bloque l'échange d'information entre les deux partenaires. Les entreprises obtenant de bons résultats dans les médias sont celles qui entretiennent des contacts réguliers avec les journalistes.

Les affaires publiques, le lobby et la propagande

Nous avons présenté au point 4 du chapitre précédent les affaires publiques, le lobby et la propagande. Chacune de ces techniques possède ses règles propres et emprunte, en même temps, celles des autres techniques.

Les affaires publiques se distinguent des relations publiques par le public visé et non par les stratégies utilisées.

Le lobby vise à influencer les décisions politiques et administratives. Certes, un des outils pour ce faire est d'avoir derrière soi l'opinion publique. Mais, dans plusieurs situations, ce sont les relations interpersonnelles qui prévalent. Comment arriver à sensibiliser les députés à la valeur de l'option défendue par le lobbyiste ? Par des contacts personnels bien sûr, mais aussi par la préparation de dossiers bien étoffés présentant le point de vue à faire valoir. C'est ainsi que des lobbyistes présentant les intérêts de groupes de pression doivent asseoir leur argumentation sur des bases très solides s'ils veulent faire valoir leur point de vue, et en même temps contrer les arguments des groupes adverses. Les groupes écologiques sont aussi bien outillés que les grandes multinationales lorsque vient le temps de faire valoir leur point de vue. Ce qui fait souvent la différence dans les décisions politiques, ce n'est pas tant l'argumentation soutenue par l'un ou l'autre groupe, mais d'autres facteurs politiques ou économiques. Ce qui amène les divers groupes à jouer également sur ces dimensions.

La propagande a recours à une stratégie qui lui est propre car elle aborde le domaine de l'idéologie. Domenach (1979) a présenté ainsi les principales approches de cette technique :

- la règle de simplification et de l'ennemi unique ;
- la règle de grossissement et de défiguration ;
- la règle d'orchestration et de répétition ;
- la règle de transfusion ;
- la règle d'unanimité et de contagion ;
- la contre-propagande.

En fait, la propagande utilise la démagogie et elle s'appuie fortement sur les préjugés de la population. Une forme de propagande, la propagande noire, n'hésite pas à avoir recours aux mensonges pour arriver à ses fins.

La publicité

La publicité fonctionne avec des règles de création, de production et de placement bien particulières avec lesquelles il faut se familiariser. Ainsi, avant de produire les messages, il faut arrêter son choix sur un média. On ne produit pas de la même façon un message pour un quotidien et un message pour la radio. Comment dès lors choisir le bon média ? Selon la cible visée, selon ses habitudes de consommation des médias, certains choix s'imposent d'eux-mêmes. Pour atteindre des jeunes adolescents, la radio est plus efficace que les quotidiens par exemple. Pour rejoindre d'un coup un public diversifié et étendu, les téléromans sont tout désignés. Pour parler à des mordus d'électronique ou d'informatique, des revues spécialisées constituent le meilleur canal de diffusion.

Pour être en mesure de faire des choix judicieux, il faut donc plonger dans les banques de données de chacune des familles de médias et vérifier où se retrouve la cible visée. Ce sont donc des spécialistes du placement média qui vont orchestrer ce travail.

Lorsque le média est choisi, il faut préparer le message. Un message de trente secondes à la radio ou à la télévision ne se prépare comme une publicité sur un panneau-réclame. Les concepteurs, les rédacteurs, les idéateurs choisissent des approches différentes selon le média visé et selon la cible retenue. L'humour et la sensualité n'ont pas la même résonance chez tous les publics.

Lorsque le message est conçu, il faut ensuite le réaliser dans sa forme définitive. À la radio, on ajoute au texte de la musique, des bruits de fond; à la télévision, l'image, le son et le texte composent le message.

Si une annonce dans un journal peut se rédiger et être diffusée en 24 heures, il faut parfois des mois avant de produire le message et d'obtenir de l'espace dans l'émission souhaitée en télévision. Dans les revues et sur les panneaux d'affichage, les délais requis pour diffuser une publicité sont de plusieurs semaines.

Avec la publicité, il faut savoir que ce n'est pas tout de livrer un message, encore faut-il s'assurer qu'il sera encadré dans un contexte rédactionnel qui en favorisera l'acceptation.

Enfin, la publicité prend maintenant toutes sortes de formes : les dirigeables, les cartes postales, les œufs. Elle se retrouve dans toutes sortes d'endroits : les salles de toilette, les ascenseurs, les autobus, les taxis, les murs, etc.

Les campagnes de financement

De très nombreuses entreprises à but non lucratif doivent trouver chaque année les fonds nécessaires à leur survie. Même si elles sont subventionnées, elles doivent compléter une partie de leur budget par des sommes d'argent qui viennent directement du milieu.

Les techniques de sollicitation de fonds, qu'on appelle à tort «levées de fonds» (qui est un anglicisme), nécessitent des efforts continus. Il s'est développé, avec le temps, une certaine expertise dans ce domaine qu'un relationniste doit connaître.

S'il existe quelques causes qui peuvent avoir recours aux communications de masse, comme le téléthon, pour recueillir des centaines de milliers de dollars en une seule journée, la majorité des campagnes de souscription se font à partir d'un réseau réduit de solliciteurs qui cherchent à intéresser des entreprises et des particuliers sur une base de relations interpersonnelles. L'organisation de ces collectes de fonds relève de pratiques connues : vaut-il mieux vendre 1 000 billets à 100 $

pour le tirage d'une super voiture de luxe ou 10 000 barres de chocolat à 3 $ pour obtenir trois fois moins de revenus avec trois fois plus d'effort ? La réponse peut sembler simple *a priori*, mais tout dépend du réseau sur lequel on peut se fier pour recueillir l'argent. Une école secondaire qui recherche des fonds pour payer un voyage en Europe à ses finissants ne possède pas le même réseau de solliciteurs qu'une chambre de commerce qui décide d'appuyer une cause et d'y attribuer des volontaires.

L'organisation d'événements

Pour attirer l'attention du public et des médias, l'organisation d'événements constitue une solution intéressante, car ceux-ci deviennent des points d'intérêt pour les médias. Une marche entre Montréal et Québec qui dure plusieurs jours entraîne une couverture de presse d'autant de jours. Une rencontre d'échecs entre l'ordinateur d'IBM et un grand maître est couvert à travers le monde pendant toute la durée du tournoi. Une manifestation devant le parlement, devant les bureaux d'un ministre, est automatiquement objet de nouvelles.

Il faut donc décider quel type d'événement aura le plus de couverture de presse, quels sont les démarches utiles pour l'organiser, et ce qu'il faut faire pour intéresser les journalistes.

De ce fait, une consultation publique à travers la province ou une région est un événement qui sera couvert à chacune de ses étapes. Toute forme de résistance passive ou active exercera le même pouvoir d'attraction des médias, le point culminant étant la violence et le terrorisme qui sont en soi des stratégies sans faille pour attirer l'attention. Plus un peuple est belliqueux, plus on parle de lui à travers le monde ; plus un groupe est agressif, plus il attire l'attention. Plus un individu est meurtrier, plus il hante l'imaginaire pour parfois devenir un héros : Al Capone, Bonnie et Clyde, Monica la mitraille, Mesrine, Che Guevara, Hitler et Staline sont devenus des personnages de l'histoire mieux connus que tous les pacifistes qui les ont entourés, à une exception près : Gandhi.

Les nouvelles technologies

Comment les relations publiques vont-elles s'adapter aux nouvelles technologies, en particulier à Internet? Une information lancée sur ce réseau en Suède fait en sorte que le spectacle de Céline Dion est boycotté à Boston. Un professeur insatisfait du rendement d'une puce informatique le fait savoir sur Internet et la compagnie coupable la retire du marché, même si cela lui coûte un demi-million de dollars.

À l'inverse, une entreprise peut rejoindre rapidement et personnellement tous les chroniqueurs d'automobiles d'un pays donné. Si elle possède leur nom et leur adresse électronique, ils recevront tous en même temps une information personnalisée sur le lancement d'un nouveau véhicule.

La technologie du graphisme évolue rapidement. On réalise les illustrations et les mises en page sur l'ordinateur. On y retouche les photos et on les crée. On a accès à des banques inépuisables de données.

Le système des boîtes vocales téléphoniques qui orientent l'interlocuteur vers des messages préenregistrés, qui le privent de tout contact avec une entreprise ou une organisation, agace au premier chef, enrage ensuite pour enfin rendre hostile l'interlocuteur impatient. Mais il permet à l'entreprise de rendre rapidement accessibles les informations les plus fréquemment demandées.

Les sites Web constituent de nouvelles vitrines pour les entreprises. L'intranet devient un outil moderne de communication interne. Les sites de discussion et les banques de données favorisent la circulation des informations et activent les échanges entre des partenaires partageant les mêmes préoccupations.

Mais, en même temps, ces sites de discussion peuvent devenir un cauchemar pour l'entreprise. Ils peuvent être animés par des employés mécontents, par des individus faisant partie d'organisations concurrentes ou adverses.

Avec Internet, les notions de publics, de cibles, de techniques et de médias évoluent. Désormais, il est possible de cibler de façon pointue ses interlocuteurs. Ceux-ci peuvent participer à des échanges, faire connaître leur opinion et même manifester leur réticence et leur mécontentement de façon directe et instantanée.

Pendant que l'entreprise apprend à utiliser cette nouvelle technologie, il faut aussi qu'elle amène l'utilisateur, le consommateur et ses employés à y avoir recours. À côté des mordus de l'informatique, la grande majorité des citoyens-consommateurs n'ont pas accès à cette technologie.

Ces nouvelles technologies apportent des améliorations au service à la clientèle mais elles créent de nouveaux irritants. Le système des boîtes vocales qui présente trois, quatre ou cinq avenues, pour faciliter le travail de l'entreprise, ne tient pas toujours compte des besoins du client qui, lui, veut autre chose. Le relationniste doit donc composer avec cette nouvelle donnée dans ses relations avec la clientèle.

Par ailleurs, au moment des crises importantes, les entreprises qui ont su animer leur réseau par une information continue sur Internet ont pu conserver le contrôle du dialogue.

La communication interne

Il n'y a pas, à proprement parler, de techniques de communication interne. Toutes les techniques sont utilisées pour convaincre et séduire un public aussi bien interne qu'externe. Ainsi, la rédaction de bulletins et de revues et la présentation d'émissions en circuit fermé relèvent de l'exercice d'un véritable journalisme. En France d'ailleurs, on considère que le journalisme d'entreprise s'apparente au véritable journalisme et, de ce fait, les relationnistes-rédacteurs possèdent une carte de presse. On dit même que ces journalistes maison bénéficient parfois d'une plus grande marge de manœuvre pour chercher et construire l'information que certains journalistes de la grande presse.

Le relationniste à l'interne doit produire chaque jour une revue de presse pour sentir le pouls de la population, analyser les grandes tendances qui se dessinent autour d'un objet donné et proposer des stratégies pour y faire face. Cette activité est propre aux relations publiques.

Mais il n'empêche qu'à l'interne on peut aussi utiliser la publicité. Certaines entreprises choisissent de faire de la publicité dans les grands médias de la région où elles sont installées, non pas pour faire connaître ou vendre leur produit, mais surtout pour donner un sentiment de fierté aux employés qui, en voyant des annonces publicitaires de leur entreprise, se rendent compte qu'ils travaillent pour une entreprise d'envergure.

Au-delà de ces activités, il y a certaines pratiques que l'on ne retrouve qu'à l'interne, comme les activités d'accueil des nouveaux employés, l'utilisation des écrans de télévision postés un peu partout dans les centres névralgiques et les informations diffusées par courrier électronique. Aujourd'hui, n'importe quel président de compagnie peut parler directement à chacun de ses employés par ce courrier. À l'interne, les relations personnalisées sont privilégiées davantage que les communications de masse.

Les communications personnalisées

Une partie du travail des relations publiques s'articule autour des rencontres personnelles. Nous l'avons déjà signalé lorsque nous avons abordé la notion de lobby. Il est évident qu'à l'intérieur d'une entreprise une partie des activités concernent les rapports directs entre les employés et la direction et entre les employés entre eux.

Les relations publiques utilisent également à l'externe diverses formes de communications personnalisées en parallèle avec les communications de masse.

Les rencontres individuelles

Les rencontres personnelles sont une source de contact privilégiée. Les personnes politiques en savent quelque chose. Le porte-à-porte, les poignées de mains dans la rue constituent des moments où la source et le récepteur peuvent échanger. Ce dialogue permet à l'un et à l'autre de construire une argumentation en fonction de la réception de son message. Ce n'est plus une diffusion d'information, mais davantage un échange.

Or, ces échanges peuvent être superficiels ou en profondeur. Recevoir un autographe d'une vedette que l'on admire est un geste rapide et éphémère, mais il laisse des traces permanentes dans la mémoire.

La majorité des gens qui ont atteint une certaine notoriété ont commencé par être connus par un petit groupe de personnes. Et le cercle s'est élargi au fur et à mesure de leur ascension sociale, avant d'atteindre la reconnaissance publique.

C'est une des raisons qui motivent les gens à s'inscrire aux chambres de commerce, aux clubs Kiwanis ou Richelieu, aux Chevaliers de Colomb. Il s'agit pour chacun de trouver l'occasion de tisser des liens de sympathie avec un nouveau réseau de personnes.

La communication directe

La communication directe met en relation deux interlocuteurs sans passer par les médias. Elle utilise le courrier, le téléphone, le télécopieur et aujourd'hui le courrier électronique. On peut les résumer à toutes les sollicitations que l'on reçoit à la maison, souvent personnalisées, pour nous inciter à acheter un produit, à utiliser un service, à contribuer à une cause, ou tout simplement pour nous faire connaître une idée, un produit ou un service.

Cette forme de communication est utilisée de plus en plus, car l'émetteur peut cibler son public et choisir une à une les personnes qui vont recevoir son message. Comme il sait à qui il s'adresse, il peut utiliser un langage adapté à eux.

Pour réaliser des communications directes utiles, il faut posséder des listes d'adresses de gens qui correspondent parfaitement à la cible choisie. Pour un magasin, par exemple, la liste de ses anciens clients constitue une valeur sûre.

Ces listes se montent avec le temps, ou s'achètent auprès de certains fournisseurs.

Les rencontres en petits groupes

Les rencontres en petits groupes permettent à une personne de rassembler un petit nombre de gens autour d'elle pour leur livrer un message. Il peut s'agir d'une conférence, d'un séminaire, d'une réunion, d'une rencontre informelle où l'invité peut interagir avec chacune des personnes présentes.

Le groupe peut engendrer une dynamique positive et amplifier l'empathie que peut dégager un personnage. À l'occasion de ces rencontres, il est facile de communiquer en profondeur puisque le groupe est captif, réceptif et souvent homogène. Le face-à-face permet une discussion plus ouverte et des propos moins standardisés que ne l'exige un message dans les médias.

Les expositions

Les expositions permettent l'interaction entre l'hôte ou l'hôtesse et les visiteurs. Même dans les grandes foires, il y a un contact direct entre l'entreprise et le passant.

Habituellement, les expositions couvrent une thématique particulière qui attire des gens directement intéressés par celle-ci. Il s'agit donc d'un public déjà conquis par le sujet. Participer à une exposition permet donc, par le contact interpersonnel, de tisser ou de renforcer des liens. Pour ce faire, il faut connaître toute la technique des expositions, de l'animation, de la décoration et de la documentation à diffuser.

Le protocole

Au-delà des techniques traditionnelles existent un certain nombre de techniques de relations publiques plus spécialisées. Le protocole, par exemple, est l'art de ménager les susceptibilités des ego, car tous les gestes à poser reposent sur des règles bien codifiées.

Lorsque trois ministres sont invités à l'inauguration d'une mairie, qui prendra la parole le premier et le dernier? Le maire? Ou un des ministres? Alors lequel? Le protocole a des réponses à ces questions.

Cet exemple du protocole témoigne à quel point tout geste posé par un relationniste doit être pesé, soupesé et repesé.

Les relations publiques vont donc utiliser toutes les techniques de communication. S'il ne peut être un spécialiste de chacune d'entre elles, il doit avoir au moins une connaissance générale de leurs forces et de leurs faiblesses. Car c'est à lui que reviendra le soin de choisir quelle technique est la meilleure pour diffuser son message auprès de la cible choisie. La technique utilisée doit de plus s'intégrer à une stratégie plus vaste.

3.4 La connaissance des supports

Le relationniste a recours à une foule d'outils de communication pour compléter son action auprès des publics qu'il veut rejoindre. Il s'agit de moyens et supports écrits, visuels et tridimensionnels.

Les supports écrits

Les supports écrits comprennent tous les documents écrits que conçoit le relationniste dans ses activités. Du dépliant au bulletin externe en passant par l'autocollant, la bande dessinée, la brochure de prestige, la carte postale, le feuillet inséré dans les factures, le rapport annuel et le discours du président, tous ces outils servent à mieux faire connaître l'entreprise.

Le relationniste doit choisir quel support il veut utiliser, et ensuite recueillir l'information et la mettre en forme. Il aura alors besoin de connaissances sommaires en graphisme, en montage et en production pour s'assurer que le message prendra bien la forme qu'il veut lui donner. La production écrite et imprimée comprend l'identification visuelle, soit le logo de l'entreprise, l'illustration ou la photo de la page couverture, la langue utilisée, soit le français ou l'anglais ou les deux, les illustrations et les photos des pages intérieures, le choix des couleurs, le choix de la typographie, la réalisation de la maquette, la sorte de reliure ou de pliage, l'impression, le tirage, la diffusion, les mentions de provenance à accorder aux spécialistes qui ont aidé à la réalisation de l'œuvre et enfin les droits d'auteur. Il s'agit là en grande partie du travail d'un graphiste. Mais celui-ci doit recevoir sa commande et ses orientations du relationniste qui devra, de toute façon, approuver les choix de son collègue.

Cette étape signifie également que le relationniste doit apprendre à préparer des devis pour lancer des appels d'offres, à définir des budgets et à les respecter, à négocier avec les fournisseurs et à composer avec les partenaires dont il aura besoin pour mener ses tâches de production à bonne fin. Qui, du graphiste ou du relationniste, doit avoir le dernier mot lorsque vient le temps de choisir une page couverture d'une brochure ou d'un document institutionnel? Idéalement, la décision devrait être partagée par les deux partenaires mais, lorsqu'il n'y a pas consensus, il faut discuter et trancher.

À cette étape-ci de son travail, le relationniste doit faire preuve d'imagination et de créativité et posséder en même temps les rudiments techniques de la production.

Les supports audiovisuels

Les supports audiovisuels s'ajoutent aux outils de communication du relationniste. Sur le plan sonore, les messages des boîtes vocales d'une entreprise peuvent être des irritants pour l'usager ou des petits sourires entendus. Dans certaines entreprises, on diffuse des bulletins quotidiens ou hebdomadaires d'information au téléphone. Pour certaines cibles, on produira des cassettes audio dont la distribution sera minutieusement étudiée pour en retirer le plus d'effet possible. Et on commence à graver sur des disques compacts des messages particuliers.

Les supports visuels comprennent les photos, les affiches, les banderoles, les logos posés sur les édifices, sur les voitures et sur les uniformes.

Les supports audiovisuels consistent essentiellement aux vidéocassettes produites par les entreprises. Aujourd'hui, les communiqués sont également présentés en image. Au lieu de produire des dépliants, certaines entreprises réalisent des vidéos qu'elles envoient directement à leur cible. Et parallèlement se développe l'utilisation du cédérom comme outil de diffusion. Cependant, on retrouve encore des diaporamas et l'utilisation du *power point* permet d'obtenir des effets visuels et sonores.

Ces différents supports nécessitent des connaissances particulières, soit la préparation du script et du scénario, la prise de son ou d'image, la réalisation, la production et la mise en forme. Encore ici, le relationniste ne peut maîtriser à fond toutes ces techniques, mais il devra orienter le réalisateur, approuver les étapes de la production et accepter le produit final comme étant conforme à la commande passée.

Les supports tridimensionnels

De plus en plus, le monde des communications a recours à des éléments tridimensionnels pour se faire remarquer. L'organisation des expositions se fait sur ce modèle : on y retrouve des objets de toutes natures, soit des voitures, des éléments de démonstration ou des animaux. Selon le type d'exposition, on montrera en format réel le produit ou le service offert aux visiteurs.

L'utilisation des ballons gonflables, des mascottes, des objets promotionnels de toutes natures, du stylo à la balle de golf marquée au nom de l'entreprise, tout peut devenir outil de communication. Le jardin qui entoure le siège social, la sculpture qui orne le hall d'entrée, la fontaine de la grande place payée par l'entreprise, tous ces éléments constituent des façons de construire l'image d'une entreprise.

La présentation des divers supports requis en relations publiques témoigne de la diversité de ce métier. Mais le relationniste doit avoir de l'audace, de l'imagination, des connaissances de base des techniques et des modes de production et, surtout, la capacité d'intégrer tous ces éléments dans une stratégie. Au-delà du savoir-faire, il faut le savoir-penser, car avant de faire le relationniste doit décider du cheminement à suivre et des outils à utiliser.

4. LE TRAVAIL DU RELATIONNISTE

Les tâches qui attendent le relationniste sont donc multiples, variées et diversifiées. À vrai dire, personne n'est en mesure de tout faire. De plus, tous les relationnistes ne possèdent pas les mêmes qualités ni les mêmes talents. Il serait peut-être utile de préciser les divers rôles que peut jouer le relationniste dans sa carrière.

4.1 Les tâches d'exécution

On confie des tâches d'exécution à un jeune relationniste au début de sa carrière. Il peut ainsi découvrir toutes les facettes de ce métier complexe et il apprend les rudiments du métier en même temps. Ces tâches doivent être réalisées avec rigueur et intelligence. Réserver une salle pour une conférence de presse, rappeler les journalistes pour vérifier s'ils seront présents, monter les pochettes de presse et s'assurer que tout le matériel et l'équipement requis seront en place pour l'événement plongent le relationniste dans le feu de l'action.

Il apprend ainsi comment se structure chaque étape d'une technique, comment s'élaborent les contacts avec les médias et comment les éléments de logistique sont importants.

Avec le raffinement de ces tâches, on crée des spécialistes. Le relationniste qui s'occupe des relations de presse pendant des années, celui qui s'est consacré à l'audiovisuel ou aux expositions, acquiert un niveau de connaissances irremplaçable en ces domaines. Il devient donc un super spécialiste consulté pour la maîtrise de toutes les dimensions d'une technique. Il sait quand, comment et pourquoi il faut utiliser une technique donnée. Il devient donc un partenaire indispensable dans une organisation.

L'apprentissage des tâches d'exécution peut donc déboucher sur des fonctions de super-spécialistes, extrêmement prisées, dont on ne peut se passer dans une entreprise.

4.2 Les tâches de décision

Ce n'est pas le jeune relationniste qui va décider de tenir la conférence de presse, ni de choisir l'endroit, le jour et l'heure où elle va se tenir. Ces tâches de décision se prennent après quelques années de pratique par des relationnistes plus expérimentés qui vont consacrer la majeure partie de leur temps à développer des stratégies. Ils auront acquis un rôle conseil au sein de leur administration.

Dans de petits organismes, il arrive que de jeunes relationnistes soient amenés à prendre toutes les décisions et à les exécuter en même temps. Il s'agit là de circonstances uniques où se forge un apprentissage accéléré du métier. L'avantage de cette situation, c'est que, très tôt, le relationniste est appelé à établir des stratégies en même temps qu'il exécute des techniques. Le désavantage, c'est qu'il aura appris à exécuter sur le tas des activités complexes sans que jamais personne ne lui ait appris les rudiments du métier.

4.3 Être généraliste ou spécialiste

Les relationnistes chevronnés se partagent donc en deux grandes sphères : ceux qui sont devenus excellents dans leur champ privilégié d'expertise et qui sont en quelque sorte des spécialistes hors norme ; et ceux qui ont choisi une voix plus généraliste. Cette option est tout aussi difficile car ils doivent posséder des connaissances générales dans les diverses sphères de spécialisation. Ils doivent avoir l'œil du généraliste, de l'omnipraticien qui doit faire les liens entre les divers systèmes du corps pour pouvoir poser un diagnostic précis.

Lorsqu'un relationniste débute dans ce métier, ses premiers emplois peuvent dessiner le cheminement du reste de sa carrière. S'il est appelé à travailler au sein d'une grande équipe dans une grande entreprise, on aura tendance à lui consacrer des tâches précises et spécialisées. S'il travaille en agence, il sera affecté à quelques clients et deviendra un agent de liaison entre les besoins du client et les ressources spécialisées de l'agence. Il sera donc généraliste. Et si on l'oriente vers un service spécialisé, il acquerra une expertise dans un domaine en particulier.

C'est avec le recul du temps que les relationnistes apprennent à connaître leur véritable force, à savoir ce qu'ils apprécient et ce qu'ils n'aiment pas faire. Pour certains, rester enfermés dans un bureau et écrire du matin au soir constitue un supplice ; pour d'autres, avoir à serrer des mains toute la journée et sourire à des gens qu'on ne connaît pas et qu'on n'a pas envie de connaître peut être aussi un calvaire.

4.4 Les tâches qu'il peut accomplir

On présente habituellement en quatre grandes phases les activités que doit réaliser le relationniste : la recherche, la conception, la réalisation et l'évaluation.

◆ La recherche

Dans la phase de recherche, le relationniste doit chercher à comprendre l'enjeu ou le problème, posséder toutes les données, faire des sondages, des enquêtes et des analyses pour être en mesure de poser un jugement et de conseiller l'entreprise en proposant des avenues de solutions.

Le relationniste doit revêtir sa dimension de chercheur et posséder toutes les techniques qui s'y rapportent.

◆ La conception

La conception est la phase la plus proprement stratégique. Le relationniste va maintenant concevoir des stratégies de communication, rédiger des plans, préparer des devis. En somme, il doit présenter dans un document toutes les démarches qui devront être réalisées pour arriver à atteindre les objectifs qu'il s'est fixés.

◆ La réalisation

La réalisation est la phase de la production proprement dite. Si une conférence de presse est prévue, il faut la préparer et la réaliser. Si un dépliant doit accompagner la campagne, c'est à cette étape qu'il sera rédigé, mis en forme, imprimé et diffusé. S'il faut tenir une exposition, il faudra penser à la façon d'organiser l'espace et de voir à sa réalisation.

◆ L'évaluation

L'évaluation est la phase finale. Il s'agit d'une recherche sur l'efficacité des activités de communication exécutées. En même temps, elle se rapproche de la première phase de la prochaine campagne, car les résultats de la recherche faite ici serviront d'éléments de base pour la prochaine campagne.

LES RÔLES JOUÉS

Le relationniste est donc amené à jouer des dizaines de rôles différents dans une campagne. Ou alors, ce sont des dizaines de relationnistes qui jouent chacun des rôles. Outre les rôles mentionnés au point 3.2, voici quelques tâches additionnelles dévolues au relationniste.

- recherchiste ;
- porte-parole ;
- producteur ;
- réalisateur ;
- attaché aux relations avec les médias ;
- organisateur d'événements ;

- hôte ou hôtesse;
- rédacteur;
- orateur;
- éditeur;
- responsable des expositions;
- responsable de la publicité;
- responsable de la communication interne;
- chargé de l'audiovisuel;
- chargé de la rétroaction;
- préposé aux renseignements;
- administrateur.

Le mot clé du métier de relationniste, c'est la polyvalence des connaissances et des habiletés particulières. Les exigences et les responsabilités attachées aux relations publiques varient selon la nature et la taille des services, des institutions et des entreprises, de la polyvalence des personnes et de leur personnalité. Une personne qui est un peu intimidée par des nouveaux publics préférera rédiger des textes ou faire de la rétroaction, tâches que d'autres personnes trouveront ennuyantes à mourir tellement elles ont besoin de voir des gens. Chacun selon sa personnalité peut donc faire sa description de tâches.

3

LA FORMATION

Nous avons présenté, au chapitre 1, les diverses formes que pouvaient prendre les relations publiques et, au chapitre 2, les habiletés requises pour exercer ce métier. Peut-il exister un seul moule de formation pour remplir ces tâches diversifiées ? Une seule personne est-elle capable d'intégrer tous ces attributs ? La réponse est certes non. Comment dès lors assurer la formation à un métier qui demande des connaissances immenses, des facultés de création exceptionnelles, une synergie avec les valeurs et les rituels d'une société ? Existe-t-il des filières de formation plus propices pour atteindre l'excellence ? Nous allons présenter les différents types de formation en relations publiques qui se donnent au Québec avec leurs avantages et leurs inconvénients. Nous pourrons constater qu'il existe un certain fossé entre l'*enseignement* qui est donné et la *formation* acquise. Il existe, en effet, plusieurs filières d'enseignement. Mais elles ne permettent pas toutes d'atteindre une formation adéquate. Avant d'aborder cette question, nous allons toutefois tenter de dresser le portrait d'une formation idéale.

1. LE CONTENU DE LA FORMATION IDÉALE

Lorsque l'on parle de formation, les spécialistes avancent plusieurs composantes :
- une tête bien pleine : c'est la culture générale ;
- une connaissance des techniques : c'est la pratique ;
- une connaissance du contenu : c'est la spécificité ;
- un bon sens certain : c'est l'intelligence ;
- une certaine créativité : c'est le brin de folie ;
- une certaine humilité : posséder toutes ces qualités et accepter de travailler continuellement sous pression, deux fois plus fort et avec deux fois plus de contraintes que les collègues de travail que l'on côtoie.

Devant toutes ces qualités qui mènent à la formation d'un excellent relationniste, peu de gens s'y retrouvent. Aucun jeune ne maîtrise parfaitement tous ces éléments. Et aucun vieux non plus. Rechercher une telle plénitude chez une personne, c'est comme disait Beaumarchais : « Aux qualités que l'on demande à ses valets, peu de maîtres en seraient dignes ! »

Il n'en demeure pas moins qu'il s'agit là d'un idéal à atteindre. Pour ce faire, il faut conjuguer les approches académiques et les approches pratiques, la formation universitaire et l'expérience professionnelle.

Compte tenu des activités et des responsabilités complexes qu'exigent les relations publiques, la formation s'impose. Que ce soit aux niveaux politique, économique, social, culturel ou sportif, les informations que gèrent les relationnistes créent la réalité dans tous ces domaines.

Il existe de multiples filières de formation, chacune d'elles répondant aux préoccupations diversifiées des gens, du marché du travail, du système scolaire et des marchands de cours.

À la fin de ce deuxième millénaire, il existe, partout dans le monde, un grand engouement pour la communication. Chaque année s'ajoutent de nouveaux cours en communication et en relations publiques ; des spécialistes de la formation sur mesure organisent séminaires et rencontres de toute nature ; les milieux professionnels mettent sur pied des journées de formation.

Il existe toutefois quelques filières reconnues pour la formation de base en relations publiques dans les réseaux scolaires, et c'est de celles-là dont nous allons parler d'abord.

Il faut toutefois signaler que, dans son *Gold Paper* de 1990 sur l'éducation, l'*International Public Relations Association* propose que la formation idéale en relations publiques se fasse au deuxième cycle, après une formation initiale dans une autre science. Le Comité d'éducation de la Société canadienne de relations publiques constatait en 1997 que ceux qui réussissaient mieux dans la carrière étaient ceux qui, entre autres, détenaient déjà un baccalauréat quand ils entreprenaient leur formation en relations publiques.

2. LES PROBLÈMES DE LA FORMATION

Face à la formation idéale se dessinent plusieurs obstacles. Le premier est sans aucun doute le fait que tout le monde ne partage pas la même vision de cette approche idéale. Mais d'autres contingences particulières viennent se greffer à ce premier obstacle.

2.1 L'engouement pour les sciences de la communication

Les sciences de la communication ont suscité un tel engouement au cours de la dernière décennie qu'on a vu naître, dans plusieurs institutions scolaires québécoises, de nouveaux cours en communication et en relations publiques. Chaque année, c'est par milliers que les étudiants s'inscrivent à temps plein à des cours de communication. Tous ne partagent pas les mêmes intérêts, n'ont pas le même bagage de base et ne disposent pas des mêmes capacités de rigueur, d'imagination et de recherche.

Par ailleurs, le profil de formation a été, la plupart du temps, dessiné suivant l'orientation de base de la faculté d'accueil. C'est ainsi que, selon les universités, les différents départements de communication au Québec ont emprunté la filière de la littérature, de l'animation culturelle et de la psychologie, par exemple. Cette diversité témoigne du large champ couvert, en fait, par les relations publiques.

Les programmes se sont ensuite développés suivant le profil des professeurs. Et comme ceux qui détiennent un doctorat en communication sont extrêmement rares au Québec, ce sont des professeurs formés à d'autres disciplines qui ont eu le mandat de proposer les orientations des cours au fil des années.

2.2 La formation sur le tas

L'apprentissage au jour le jour constitue la meilleure école pour pratiquer les différentes techniques. Il est difficile de recréer dans les salles de cours, tout spécialement lorsque l'on enseigne à de grands groupes, les conditions du milieu de travail. Le sens de la nouvelle peut s'expliquer, mais peut-il se transmettre?

Toute une génération de relationnistes a été formée sur le tas, car à leur époque il n'existait pas de formation en relations publiques. Et ils ont bien réussi. Il est donc possible d'exercer ce métier sans formation préalable. La règle est d'ailleurs confirmée par le cas de quelques journalistes qui, au cours des dernières années, se sont rapidement convertis aux relations publiques dans leur cheminement de carrière.

Il faut savoir que c'est moins la technique qui importe que son bon usage stratégique. Si l'expérience pratique permet d'acquérir rapidement tous les rudiments des techniques, elle ne donne pas nécessairement le recul requis pour prendre des décisions et ne livre aucune information sur les dimensions psychosociales du public, ni sur la complexité de l'environnement sociopolitique.

La jeune personne qui se rend compte que d'autres ont réussi sans formation en relations publiques peut être tentée de suivre le même cheminement. Dans certains cas, si elle présente des signes évidents de culture générale et un bon sens de la débrouillardise, elle peut séduire un éventuel employeur et obtenir une première chance. Mais cela ne lui garantira pas une carrière dans ce métier...

2.3 La formation générale de base

Tous les partenaires s'accordent pour dire qu'il faut une solide formation de base pour pratiquer ce métier, mais ils n'arrivent pas à s'entendre sur ce que devrait contenir une telle formation.

En réalité, toutes les universités offrent une formation aux métiers de la communication après le cégep. Doit-on conclure qu'à leur arrivée à l'université les étudiants possèdent cette formation de base? La réponse est unanime et c'est non.

Dans certains cas, pour combler cette lacune, on ajoute quelques cours de culture générale au programme de communication. Mais il s'agit d'une forme de rattrapage et non d'une formation de base solide dans une discipline particulière. Ailleurs, on incite l'étudiant à compléter sa formation en communication avec un bloc complémentaire dans un autre département. Mais peut-on considérer qu'un bloc complémentaire en littérature et en langue va à la fois parfaire la culture du relationniste et lui apprendre à maîtriser l'écriture? Un bloc en administration va-t-il mieux préparer le relationniste à utiliser les communications comme outil de gestion ou à être mieux accepté dans un conseil d'administration? Quelques cours en psychologie sociale seront-ils suffisants pour lui permettre de mieux saisir la complexité des publics qu'il veut rejoindre? Un cours de géographie le familiarisera-t-il à la géopolitique?

La réponse à toutes ces questions est la même. Entre savoir un peu de tout et maîtriser un élément du tout, il y a la différence entre le dilettante et le spécialiste.

La difficulté d'imposer une sérieuse culture de base provient également du fait que les futurs relationnistes souhaitent obtenir une maîtrise rapide des techniques. De plus, il s'exerce entre les institutions universitaires une chasse aux étudiants et l'institution peut être intéressée à augmenter le nombre de ceux-ci davantage aux seules fins des subventions qu'au désir d'offrir une culture de l'excellence.

En fait, si tous les partenaires affirment la nécessité d'une formation de base, on a un peu l'impression que, dans les faits, cette formation ne préoccupe ni l'industrie, ni l'université, ni l'étudiant. Les industries sont prêtes à engager des jeunes avec une formation collégiale s'ils sont capables de mener à bien les tâches qu'on leur demande. L'université se refuse à exiger de l'étudiant qu'il acquière une formation de base avant de s'inscrire au diplôme en relations publiques. Et l'étudiant ne veut pas perdre trop de temps à l'université.

L'idéal serait d'acquérir une formation de base dans une discipline particulière et de la compléter par des cours de pratique en relations publiques. C'est le cas dans plusieurs centres de formation aux métiers de la communication en France où l'on donne la formation des métiers de la communication à des gens qui ont déjà un premier baccalauréat dans une autre discipline.

Le métier de relationniste, tel qu'il est pratiqué au Québec et en Amérique du Nord, repose sur deux types de partenaires : celui qui conçoit et celui qui réalise, soit le stratège et le praticien. Certaines personnes, par choix, par goût, par habileté, par formation, se destinent à l'un ou l'autre poste. Certaines peuvent passer de l'un à l'autre et d'autres se consacrer à un seul pôle. La formation de base n'a donc pas la même importance selon les rôles joués par les différents relationnistes.

Le bagage de base doit par ailleurs se renouveler continuellement. Il n'est jamais complété. Ce ne sont pas quelques cours *ad hoc* qui vont créer chez l'étudiant la curiosité et la rigueur intellectuelle requises. La culture générale se construit à partir d'un fond solide de connaissances qui se développe tout au long d'une vie.

Le rôle de la formation n'est pas seulement de faire connaître des éléments nouveaux, mais d'apprendre à apprendre, de développer un sens critique et de comprendre la complexité et la relativité de toutes les valeurs et de tous les phénomènes sociaux. Reléguer le communicateur à son rôle technique de praticien des relations publiques, c'est parfois le priver de la véritable dimension de ce métier.

Une des forces du relationniste qui travaille dans une entreprise, c'est de partager la complexité du contenu qu'il doit diffuser. Pour ce faire, il lui faut être capable d'assimiler de nouveaux contenus. Avec une formation générale de base qui constitue la toile de fond du savoir d'une personne, toute nouvelle connaissance a de meilleures assises pour s'édifier.

2.4 La négligence des entreprises

Pour trop d'entreprises dans la société québécoise, la formation est un luxe qu'on ne peut se payer. Ainsi, les grandes organisations patronales se sont révoltées contre l'obligation que voulait leur imposer le gouvernement du Québec de consacrer 1 % de leur budget à la formation de leur main-d'œuvre. Et le parti d'opposition d'alors n'a pas trouvé mieux que de décrier cette mesure.

Il faut se rappeler que les jeunes qui construisent la société québécoise ne terminent pas leurs études secondaires dans une proportion de 40 %. Or, les grandes nations industrialisées, comme l'Allemagne et le Japon, se sont édifiées en s'appuyant sur la force de leur formation.

Par leur politique de recrutement, certaines entreprises ont préféré pendant longtemps engager des jeunes sans diplôme qui ne leur coûtaient pas cher, plutôt que d'engager des professionnels formés aux salaires plus élevés.

Le monde des relations publiques a échappé en partie à cette approche, mais pas totalement. On continue d'entendre qu'à l'université on forme des étudiants qui ne sont pas préparés au marché du travail, qu'ils ont acquis trop de théorie pour l'apprentissage pratique qu'ils possèdent. Les exigences du monde du travail imposent aux finissants une certaine expérience pratique du métier. D'où la nécessité pour eux d'acquérir pendant leurs études les rudiments du métier, ce qui n'est donné qu'aux plus déterminés.

Quand on sait qu'une bonne partie des attachés de presse politiques sont issus du monde du journalisme, que la grande entreprise confie autant à d'anciens journalistes qu'à des relationnistes chevronnés leur poste de vice-présidence au communication, on comprend que le métier de relationniste n'a pas encore assis la force de son expertise.

Face à cette situation, la Société des relationnistes du Québec a certes fait quelques efforts pour exiger une formation de base essentielle à ce métier. Cependant, elle intervient peu sur la place publique pour rappeler à l'ordre les entreprises qui font preuve de peu d'égard pour le métier de relationniste qui a maintenant, rappelons-le, acquis ses lettres de noblesse.

3. LA DIVERSITÉ DES FORMATIONS

On peut parler de trois grandes orientations dans les divers types de formations offerts aux futurs relationnistes, tant par les universités que par les regroupements professionnels ou par les entreprises privées qui offrent des formations en communication.

3.1 La communication instrumentale

La communication est enseignée comme un instrument utile. C'est en quelque sorte la formation aux techniques de communication. On apprend à diffuser les messages avec les meilleures techniques possibles pour rejoindre ses cibles.

La formation consiste presque uniquement à acquérir le savoir-faire essentiel pour pratiquer le métier de relationniste. Il s'agit donc d'enseigner la communication comme pratique professionnelle : comment rédiger un communiqué, comment organiser une conférence de presse, comment parler en public, etc.

La formation aux techniques de communication, dans les cégeps par exemple, a adopté cette voie. Mais on la retrouve également dans de nombreux cours de perfectionnement donnés par les organisations professionnelles de communicateurs et dans des cours de formation continue. Enfin, elle complète les études de premier cycle en communication de toutes les universités.

D'une part, cette approche forme d'excellents techniciens ; d'autre part, elle procure les rudiments utiles du métier à tous ceux qui doivent développer des stratégies. Les cheminements de carrière des jeunes relationnistes les amènent au départ à pratiquer des techniques, puis avec le temps, l'expérience et le recul, à passer au stade de la stratégie.

3.2 La communication stratégique

La communication stratégique permet de considérer la communication comme un véritable outil de gestion pour l'organisation. Elle comprend la notion de décision. Elle s'exerce à deux échelons : décider de la meilleure technique pour atteindre ses objectifs et décider des objectifs eux-mêmes.

La question n'est plus de savoir comment articuler une technique, mais de savoir comment choisir une technique et pourquoi avoir recours à celle-là en particulier.

La communication stratégique est enseignée aux trois cycles de la formation. Les programmes essaient d'amener les étudiants à comprendre comment se structure une stratégie.

L'avantage de cette approche, c'est que l'apprenti relationniste apprend en même temps le pourquoi et le comment. Le désavantage, c'est qu'il devra exercer le comment pendant quelques années avant d'en arriver à se prononcer sur le pourquoi. Il sera donc à moitié préparé pour le marché du travail. Et, privé d'une expérience pratique, il sera à moitié préparé pour comprendre en profondeur les enseignements qu'on lui procure sur la stratégie.

3.3 La science de la communication

Les universités québécoises ont choisi, dans leurs cours réguliers, de permettre aux étudiants de s'initier aux théories sur la communication avec, en complément, un accès aux techniques. Des cours d'introduction aux modèles de la communication, aux effets des «mass médias», à la psychosociologie, à l'histoire, à l'économie et à la sociologie des communications constituent le tronc commun des connaissances transmises.

On veut ainsi former autant des chercheurs que des praticiens. Cette approche correspond toutefois davantage au profil du corps enseignant qu'aux besoins des étudiants ou aux attentes du milieu. Au cours des dernières années, ces programmes ont toutefois été modifiés pour correspondre à la réalité des besoins du milieu. La formation acquise permet de situer les communications dans l'univers des sciences sociales, de développer un esprit critique face aux communications et de favoriser une pratique professionnelle.

Il existe certes un certain clivage dans le corps professoral entre les enseignants chercheurs et les enseignants praticiens ; les premiers n'hésitent pas à afficher une certaine superbe, sinon un certain mépris pour les autres.

Les trois grandes approches des communications répondent à des orientations distinctes des formateurs et des besoins différents du milieu. Nous allons présenter maintenant les formations utiles qui se donnent présentement au Québec. Il ne s'agit pas ici de faire une nomenclature de chaque lieu de formation, mais davantage de montrer la diversité de ces lieux.

4. LA FORMATION DANS LES ÉTABLISSEMENTS SCOLAIRES

Nous avons parlé plus haut de l'engouement pour tous les métiers de la communication. De ce fait, chaque établissement scolaire, chaque université, chaque faculté essaie d'intégrer des cours de communication dans le cursus des étudiants.

4.1 La formation dans les cégeps

Il existe au Québec un seul cégep spécialisé dans les métiers de la communication. Le cégep de Jonquière dispense une formation dans les arts et les technologies des médias. Mais plusieurs autres cégeps ont inclus des programmes ou des cours spécifiques en communication, soit dans le cheminement régulier des cours, soit à l'éducation des adultes.

4.2 La formation dans les universités

La formation offerte dans les universités est ambiguë. Elle tente de concilier la complexité du métier et les préoccupations des entreprises. En principe, l'université se donne d'abord pour mission de développer l'habitude de réfléchir et de raisonner, de jouer avec les idées et les concepts et de contribuer à l'acquisition d'une certaine maturité et d'une rigueur intellectuelle. En pratique, l'étudiant recherche un savoir-faire qui lui permettra d'entrer sur le marché du travail et de gagner sa vie.

Ces préoccupations divergentes vont créer, certes, une certaine frustration, chez tous les partenaires. L'entreprise se plaint que les étudiants qui sortent de l'université sont mal préparés au milieu du travail.

L'université, qui a construit, en partie, ses programmes en tenant compte des recommandations du milieu, se rend compte que celui-ci préconise des exigences de formation qu'il ne respecte pas dans son recrutement. Enfin, certaines universités qui revendiquent des critères d'excellence se laissent tenter par la facilité d'accueillir n'importe qui en communication pour toucher les subventions gouvernementales accordées à chaque étudiant inscrit.

Par ailleurs, il faut reconnaître qu'il est difficile d'assimiler les pratiques de ce métier dans une salle de cours. Cette difficulté s'amplifie avec le nombre d'étudiants dans le groupe et leur état d'esprit. Certains viennent par curiosité pour connaître ce secteur d'activité sans avoir vraiment envie de le pratiquer.

En fait, si un étudiant veut faire carrière en communication, il faut d'abord et avant tout qu'il s'intéresse à ce métier, c'est-à-dire qu'il fasse plus que s'asseoir en classe et être attentif aux connaissances qu'on lui livre. Il lui faut faire du terrain. Et pour un étudiant, c'est surtout dans le bénévolat auprès de groupes à but non lucratif qu'il peut apprendre les bases du métier. Il peut aussi participer aux grandes manifestations où l'on requiert les services de bénévoles en communication pour soutenir le travail des professionnels.

Le succès du relationniste s'exerce aussi au niveau de ses contacts. Ce n'est pas en restant enfermé dans sa cellule universitaire, sans aucun contact, qu'il lui sera facile d'apprivoiser ce métier.

Les cours réguliers de premier cycle

Les cours réguliers en relations publiques se donnent dans toutes les universités du Québec, mais chacune possède une orientation propre et des programmes particuliers.

Ces cours se présentent sous forme de certificat ou de mineure (30 crédits), de diplôme ou de majeure (60 crédits) ou de baccalauréat spécialisé (90 crédits). Ces programmes sont appelés Relations publiques, Communication publique ou Communication. Ils touchent aussi bien ce qu'on appelle les arts de la communication que la science de la communication. Les premiers comprennent tout le domaine de la création et de la production tandis que les seconds s'articulent plutôt autour des théories de la communication.

Dans son rapport sur la formation en communication, la Commission des universités sur les programmes (1997) rappelle que « les universités du Québec offrent des programmes qui se situent sur un continuum entre un pôle où le contenu théorique, l'étude et la réflexion sur les communications prédominent et ceux où la formation professionnelle à l'exercice des métiers des médias est l'objectif visé. Quel que soit le pôle auquel il se rattache, chaque programme comporte une introduction aux principaux débats et aux questions clés dans le champ des communications ainsi qu'une initiation minimale aux médias ».

Chaque université a développé une spécificité. Toujours selon le même rapport, les programmes de l'Université de Montréal se situent du côté de la formation d'analystes des communications. Ceux de l'Université Laval forment des praticiens des communications. « C'est également le cas des universités Concordia et du Québec à Montréal qui offrent deux programmes très spécialisés en matière de formation professionnelle aux métiers des médias, ajoutant pour la première le cinéma aux formations déjà mentionnées et, pour la seconde, le multimédia. » L'Université du Québec à Trois-Rivières a orienté son baccalauréat en communication sociale vers une spécialisation préparant à l'intervention dans la communauté. L'Université de Sherbrooke articule son programme autour de l'écriture et des lettres et vise à sensibiliser les étudiants aux aspects contextuels de la pratique de la communication. Depuis la parution de ce rapport, l'Université du Québec à Montréal a mis sur pied un Baccalauréat en relations publiques et l'Université Laval un Diplôme de deuxième cycle en relations publiques.

Chaque formation prépare les étudiants à un créneau bien particulier et en néglige d'autres. La publicité s'enseigne presque exclusivement dans les départements d'administration et de marketing. Les créateurs acquièrent leur formation dans les départements d'art graphique, de cinéma et de lettres.

Compte tenu que peu de professeurs universitaires possèdent une expérience pratique en relations publiques, les rudiments du métier sont transmis par des chargés de cours.

Les étudiants en communication qui doivent compléter leur programme d'études par un bloc complémentaire pris dans un autre département sont souvent tentés par le marketing, l'administration ou la finance comme le recommande la Commission on Undergraduate Public Relations Education américaine. Cette approche confirme que les relations publiques doivent être considérées comme un outil de gestion pour l'organisation. Mais, en même temps, il faut considérer que le marketing, les relations publiques et la publicité représentent des avenues qu'on peut qualifier de contenant, c'est-à-dire qu'elles servent toutes à habiller n'importe quel type de contenu.

Il est sage pour un relationniste d'acquérir des connaissances sur un contenu spécifique qui l'intéresse. S'il souhaite se diriger vers le monde politique, artistique ou sportif, il devrait aller chercher des éléments de contenu dans ces domaines, ce qui éventuellement le préparera mieux à travailler dans ces univers et à bien saisir toute leur complexité.

Les cours de la formation continue

Les techniques de communication évoluent. Aujourd'hui, la commandite, l'informercial, l'interactif et la communication directe prennent de plus en plus de place. Les techniques traditionnelles se métamorphosent. La télécopie et le courrier électronique, par exemple, ont modifié toutes les relations de presse.

Pour les uns, il existe un réel besoin de se tenir à jour. Pour d'autres, qui découvrent la nécessité de pratiquer les relations publiques, l'apprentissage de ce métier s'impose.

C'est ce qui explique le développement des cours de formation continue en relations publiques.

À l'université

Les cours de relations publiques se donnent à l'université depuis plusieurs années. La Faculté d'éducation permanente de l'Université de Montréal proposait déjà en 1970 un premier certificat en relations publiques.

Les certificats proposés par l'École des hautes études commerciales de Montréal en communication, les programmes du Centre for continuing Education de l'Université Concordia, et deux autres universités offrent aux adultes diverses formes d'apprentissage et de perfectionnement du métier de relationniste.

Il s'agit d'une formation spécialisée pour un public qui possède habituellement une formation de base. Ces cours de formation continue sont donnés par des praticiens qui connaissent extrêmement bien leur secteur d'activité. Lorsque l'on couvre un domaine de pratiques professionnelles, il est essentiel que ceux qui l'enseignent connaissent bien le métier. Enseigner à faire un plan de communication et apprendre en même temps les écueils du métier, c'est faire en sorte que la théorie soit de plus en plus collée à la réalité.

À la télé-université

Il est maintenant possible de suivre un cours de relations publiques à la télé-université. Ce cours s'ajoute aux autres cours de communication retransmis par le canal Savoir. La télé-université offrait déjà un baccalauréat général en communication avec un accent sur la communication organisationnelle.

En s'adaptant à cette forme d'enseignement, les relations publiques peuvent atteindre une nouvelle clientèle qui ne trouve pas nécessairement le temps ou l'énergie de se déplacer pour suivre un cours.

À distance

Enfin, quelques universités offrent une formation à distance en relations publiques, dans des programmes de formation continue. Ces cours sont suivis par des professionnels qui souhaitent acquérir des connaissances en relations publiques ou par des étudiants ou des jeunes travailleurs qui viennent y chercher quelques crédits pour parfaire leur formation de base.

Les cours de service

Il se donne des cours de relations publiques pour les futurs professionnels, comme les ingénieurs, les agronomes, les économistes qui doivent intervenir sur la place publique pour réaliser leurs mandats. On qualifie cette formation de cours de service. On offre le service de former à la dimension communication tout professionnel qui a pris ou qui doit prendre conscience de la nécessité d'intervenir sur la place publique. Or ces cours ne sont que des sensibilisations à une technique, non une formation à un métier et c'est pour cette raison qu'ils sont considérés comme des cours accessoires à la formation première des étudiants.

Les cours de deuxième cycle

Le congrès de l'International Public Relations Association (IPRA) tenu à Bombay en 1990 réunissait des professionnels en relations publiques de tous les pays du monde, autant des praticiens que des enseignants. C'est à cette occasion que les grands principes d'enseignement des relations publiques ont été énoncés. On proposa alors que les relations publiques soient enseignées au deuxième cycle, après une formation de base dans une autre discipline, soit dans le domaine des sciences humaines, de la sociologie, des sciences de la communication ou du management.

Les maîtrises en relations publiques que donnent quelques universités québécoises sont de deux types : la maîtrise professionnelle et la maîtrise de recherche.

Il s'agit toutefois de maîtrises où la théorie tient une large part. En 1998, le Département d'information et de communication de l'Université Laval a mis sur pied un diplôme de deuxième cycle en relations publiques. Ce diplôme est destiné à une population possédant déjà un premier cycle dans une discipline autre que les communications et qui est désireuse d'acquérir les bases du métier de relationniste, conformément aux intentions de l'IPRA. Il s'agit là d'une première au Canada.

Le programme de diplôme de l'Université McGill appréhende la communication suivant l'axe des sciences humaines et sociales, bien qu'il s'oriente de plus en plus vers les arts, la culture et la technologie.

Les programmes de maîtrise de l'Université de Montréal, de l'Université du Québec à Montréal et de l'Université Concordia se situent dans la foulée de leur programme de premier cycle, soit la formation d'analystes des communications pour le premier et la formation professionnelle pour les deux autres.

La formation au troisième cycle

Il existe une formule assez originale pour le doctorat en communication. Trois universités montréalaises ont regroupé leurs efforts pour donner un doctorat conjoint en communication. Auparavant, l'étudiant devait faire son doctorat dans un autre département ou aller à l'étranger pour obtenir un doctorat en communication. Il s'agit des universités de Montréal, du Québec à Montréal et de Concordia.

De son côté, l'Université McGill est la doyenne des universités canadiennes à offrir un doctorat en communication.

Les sujets de thèse des étudiants englobent un vaste champ d'activité, plus souvent qu'autrement visant la théorie des communications. Peu d'entre eux ont choisi les relations publiques comme champ privilégié d'études.

5. LA FORMATION PROFESSIONNELLE

Le monde professionnel a reconnu depuis longtemps l'utilité de se mettre à jour face au développement des techniques de communication. Ces cours peuvent prendre la forme de demi-journées de formation, de séminaires ou de congrès. Dans certains cas, la formation s'organise à l'interne. Depuis des années, la Société des relationnistes du Québec et le Publicité Club de Montréal organisent chaque année, par exemple, des séries de séminaires de formation pour leurs membres et ceux qui veulent bien s'y joindre.

À côté de ces formations lancées par les regroupements professionnels des communicateurs, des entreprises privées se sont spécialisées dans l'industrie des cours de formation pour les relationnistes.

Enfin, certaines universités, dont la Faculté d'éducation permanente de l'Université de Montréal, offrent la formation continue en entreprise dans le domaine des communications. L'Université de Montréal demeure encore la plus compétente en la matière.

5.1 La Société des relationnistes du Québec

La Société des relationnistes du Québec (SRQ) organise chaque année des journées de formation, à Montréal et à Québec, à l'intention de ses membres. Cette formation est ouverte à quiconque veut y assister. Ce regroupement essaie de répondre aux besoins des professionnels qui souhaitent se tenir au courant des derniers développements touchant le monde des relations publiques, ou plus simplement se ressourcer aux notions de base vite oubliées.

Ces sessions de perfectionnement sont suivies chaque année par quelques centaines de professionnels et témoignent de leur désir de se tenir à jour.

5.2 Les entreprises

Quelques entreprises de communication ont compris que la formation constituait une arme de combat et non pas une dépense à mettre au compte des profits et pertes. Ces entreprises comptent souvent parmi leur personnel une équipe spécialisée dans la formation du personnel.

Cette formation s'organise autour des besoins continuels de l'entreprise : la maîtrise de la langue, l'apprentissage des nouvelles technologies, la création ou le placement média.

Cossette Communication marketing a mis au point à cet effet une structure exemplaire de formation appelée Phénix. Chaque année, tous les employés reçoivent en moyenne quelque 50 heures de formation dans les champs où ils sentent qu'ils peuvent s'améliorer. Et cela comprend certes les techniques de relations publiques. Les cours sont donnés à l'interne par un professionnel expérimenté et, au besoin, on peut avoir recours à des expertises externes.

5.3 Le *benchmarking* : l'apprentissage par l'exemple

Le mot *benchmarking* signifie repère. Fondamentalement, le benchmarking est un processus d'apprentissage en fonction de repères d'excellence. La règle est de déterminer l'entreprise ou l'expérience en communications qui peut servir de borne de référence et de s'y frotter.

Un communicateur peut ainsi demander de travailler pendant un, deux ou trois mois dans une entreprise modèle, et non concurrente bien sûr, et acquérir leur originale façon de faire. Puis, le relationniste revient dans son entreprise et essaie d'appliquer les normes d'excellence qu'il a découvertes.

5.4 La formation privée

Des écoles privées proposent une formation à la communication. Ces écoles attirent des personnalités vedettes qui prêtent leur nom et leur expertise pour attirer des étudiants qui rêvent de pratiquer ce métier.

Les candidats à ces cours sont recrutés par des annonces dans les grands médias et par le poids des personnalités qui y sont rattachées. Même si ces cours peuvent être donnés avec une certaine rigueur, on n'y enseigne qu'une communication instrumentale, c'est-à-dire l'apprentissage d'une technique donnée.

Il arrive, dans certaines circonstances, qu'un communicateur ait besoin d'améliorer une technique et qu'il puisse bénéficier avantageusement d'un de ces cours.

Cette formation commerciale témoigne de nouveau de l'engouement d'une partie de la population pour la communication. Communication orale, formation au rôle d'annonceur, initiation aux nouvelles technologies traduisent le genre de cours donnés par ces institutions privées. Un bon exemple de ce type de formation est l'école de publicité qu'a créée le célèbre photographe de Benetton, à Turin en Italie, pour pouvoir diffuser sa propre vision de son métier.

6. LA RÉALITÉ DE LA FORMATION

Dans les organisations, il y a de nombreux communicateurs qui n'ont reçu aucune formation particulière pour exercer ce rôle. Car peut s'improviser ou être sacré agent de communication n'importe qui, sans égard à sa formation.

Disons d'abord qu'il n'existe pas de filière unique de formation reconnue. Même si, de façon presque systématique, toutes les offres d'emplois pour un relationniste, agent d'information ou attaché de presse exigent un diplôme de premier cycle en communication, elles précisent parfois «communication ou administration», ou encore «communication ou autre formation pertinente».

Chaque année, il se glisse dans la profession des gens aux profils divers qui exercent bien leur métier même s'ils n'ont reçu aucune formation en relations publiques. On est ici face à une profession qui, à l'instar du journalisme au Québec, ne supporte aucune balise. Ceci donne parfois d'excellents résultats et parfois crée des désastres. Nous n'allons pas épiloguer sur cette question complexe, mais rappelons que l'argument principal avancé pour ne pas imposer de formation obligatoire se résume ainsi : il s'agit d'un métier qui touche des environnements différents, qui exigent des compétences multiples. De ce fait, la profession doit rester ouverte pour s'assurer que toutes les ressources utiles pourront y travailler. De plus, elle ne doit supporter aucun contrôle, car celui-ci pourrait se transformer en coercition. Or la recherche de l'information doit être libre de tout carcan.

6.1 L'absence de formation

Si l'on doit admettre que la formation est une nécessité, on doit aussi reconnaître que de nombreux et d'excellents praticiens de cette discipline n'ont aucune formation spécifique. C'est le cas, par exemple, de tous les *seniors* qui ont commencé à pratiquer ce métier alors qu'il ne se donnait aucune formation spécialisée. On peut dès lors se demander s'il est essentiel d'avoir une formation en relations publiques pour exercer ce métier. De plus, d'excellents journalistes, qui ont eu parfois des mots durs contre les relationnistes, sont devenus d'excellents relationnistes avec aujourd'hui des mots durs contre les journalistes.

Par ailleurs, on rencontre aussi des cas désastreux parmi ceux qui ont reçu une formation. On forme chaque année des centaines de communicateurs dans les institutions universitaires. Il s'est formé là de nombreux étudiants qui n'étaient sûrement pas à leur place.

Dans certaines entreprises qui n'ont pas compris le sérieux des relations publiques, on nomme à la tête des services de communication des cadres recyclés à la communication. Ces cadres n'ont reçu aucune préparation à exercer ce métier. Ces entreprises raisonnent ainsi : un bon gestionnaire peut gérer n'importe quelle unité administrative. Mais on oublie de dire qu'on n'oserait jamais nommer à la tête du service juridique un non-avocat ; à la tête du service des finances, un employé sans préparation ; et à la tête d'un service d'ingénieurs, un non-ingénieur.

S'il est vrai que n'importe quelle personne sans préparation aucune peut devenir ministre et être responsable de tout un secteur d'activités qu'elle ne connaît pas, on peut tout se permettre... avec les gâchis inimaginables que cela crée.

6.2 La culture de base

S'il n'est pas essentiel d'avoir une formation en relations publiques pour exercer ce métier, il est essentiel d'avoir une formation, un bagage de base.

Celui-ci peut s'acquérir sur le tas ou dans un établissement d'enseignement. Mais, dans un cas comme dans l'autre, le bagage de base doit se renouveler continuellement.

Et c'est là le véritable défi des communicateurs : pratiquer une formation continue personnelle et encadrée. La formation continue personnelle, en relations publiques, c'est :

- la lecture des rubriques relations publiques et marketing de *La Presse*, du *Devoir* et du *Globe and Mail* ;
- la lecture des revues spécialisées : *Info Presse, Les Affaires, Marketing, Advertising Age, Publics, Public Relations Tactics, The Public Relations Strategist* ;
- la lecture des revues scientifiques : *Public Relations Quarterly, Public Relations Journal ; Public Relations Review* ;
- la participation aux journées de formation organisées par les organisations professionnelles.

La lecture d'ouvrages généraux et spécialisés, l'ouverture sur le monde et sur les autres, la lecture de quotidiens et de revues sont d'autres façons de développer une culture de base.

6.3 Une formation commune pour le journalisme et les relations publiques

Au sein des établissements d'enseignement, il existe un débat délicat à savoir si le journalisme et les relations publiques devraient être enseignés à partir d'un tronc commun. Ce débat anime davantage le journalisme qui n'aime pas que l'on pratique la confusion des genres et qui refuse d'être associé de près ou de loin aux relations publiques. Du côté des relationnistes, on ne sait pas si l'on doit s'en réjouir ou s'en étonner.

S'en réjouir, puisqu'il existe une réelle confusion des genres entre les métiers de la communication, où des gens jouent alternativement les rôles de journaliste et de relationniste au cours de leur carrière, où certains journalistes se comportent comme de véritables porte-parole ou ennemis mortels des organisations dont ils doivent rendre compte. Puisqu'ils font ainsi le même métier à des degrés divers, pourquoi alors ne pas leur fournir une formation commune? Ils seront ainsi prêts à sauter d'un métier à l'autre. D'autre part, si les journalistes apprenaient à connaître le métier de relationniste, peut-être seraient-ils plus conciliants avec ce frère ennemi!

S'en étonner, car le métier de journaliste subit une certaine dérive due à de multiples facteurs, dont les conditions économiques de cette industrie et à un certain renoncement aux standards de qualité, de rigueur et d'équité que le métier revendique pourtant. Dans ce cas, une formation mieux encadrée pourrait-elle redonner à ce métier ses lettres de noblesse?

Il ne serait pas inutile que les journalistes comprennent les exigences du métier de relationniste et se rendent compte que les relations publiques telles qu'elles se pratiquent aujourd'hui sont davantage une réaction à la logique médiatique qu'une soi-disant volonté de manipulation.

La hiérarchisation des faits à partir de la logique du spectacle, la recherche de la controverse, la règle du jeu médiatique qui se suffit d'une source à qui attribuer des propos pour les diffuser sans autre vérification constituent autant de poids à une information intelligente que tout ce que peuvent imaginer les relationnistes. La couverture de presse de l'affaire O.J. Simpson, de la mort de Diana, des gestes déplacés de Clinton constitue l'exemple d'une logique médiatique qui n'a rien à faire avec le droit du public à l'information.

Le journalisme et les relations publiques tiennent des rôles sociaux différents. Les deux métiers ont des responsabilités face à la société et doivent rechercher de hauts standards d'éthique. Que les uns et les autres apprennent à ne pas déformer les faits qui sont portés à leur attention peut se faire à l'intérieur d'un même département.

Tout débat de fond sur cette question doit toutefois affronter la réalité des enseignements en communication des établissements universitaires nord-américains : certains intègrent l'ensemble des métiers de la communication dans un même département, ou les compartimentent dans des combinaisons très spécifiques. Ainsi, selon l'American Communication Association (voir leur site Web), les départements voués à l'enseignement des communications offrent, selon les cas, des formations en journalisme, en relations publiques, en publicité, en marketing, en radio-télévision, en cinéma, en télécommunications, en beaux-arts, en culture et média, en *speech communication*, en communication de masse, en science de la communication, en technologie de la communication, en littérature et communication, en théâtre et en rhétorique. On peut donc conclure qu'il y a de multiples façons d'orchestrer une formation.

6.4 Les préoccupations divergentes des intervenants

Les exigences de qualification varient selon l'ouverture d'esprit, la spécialisation initiale de la personne qui recrute et le poste à combler. Dans certains cas, on préférera un spécialiste d'une discipline à qui on apprendra les rudiments du métier de relationniste à un relationniste à qui il faudra tout apprendre sur le contenu complexe à diffuser.

Par ailleurs, même si un employeur adhère au profil idéal d'un relationniste, ceci ne signifie pas qu'il va nécessairement limiter le recrutement à ce profil. Des besoins immédiats et urgents incitent parfois à convertir un spécialiste de contenu en un relationniste improvisé.

Ce que veulent trop souvent les entreprises, c'est une main-d'œuvre qui peut être fonctionnelle immédiatement. C'est la communication instrumentale qui est exigée avant tout. Alors, la formation idéale d'humanisme est balayée au profit du savoir-faire.

Ce que veulent les étudiants, c'est apprendre un métier qui leur donne accès directement au monde du travail et qui leur permet de goûter au côté séducteur du métier.

Ce que veulent les professeurs, c'est continuer leur recherche fondamentale en laissant le savoir-faire aux chargés de cours. Le monde professoral est plus à l'aise dans l'enseignement humaniste et le discours que dans la pratique. Et il n'est pas loin de manifester un certain mépris pour les métiers de la communication. Ce qui nous éloigne de l'idéal de la formation, du désir des étudiants, du besoin de l'entreprise.

6.5 La formation est une nécessité

S'il existe tant de filières de formation en relations publiques, c'est qu'elles répondent à un besoin du milieu de bien maîtriser ce métier qui est devenu un outil de gestion essentiel pour toute entreprise ou organisation qui veut partager l'espace public.

Mais on constate aussi que chacune d'elles répond autant aux objectifs internes de l'organisation qui les conçoit qu'aux besoins de ceux à qui elles sont destinées. Cette situation peut s'expliquer par la complexité réelle de ce métier. Mais on peut formuler, en conclusion, les commentaires suivants.

Si l'on considère la formation idéale que nous avons décrite, où le relationniste doit avoir une tête bien pleine, capable de concevoir des stratégies et d'utiliser les différentes techniques de communication, si l'on considère avec l'IPRA que la formation en relations publiques devrait s'obtenir après un premier diplôme universitaire, on voit que la formation dispensée aujourd'hui dans plusieurs établissements scolaires s'éloigne de cet idéal.

De plus, les professionnels estiment souvent que la formation universitaire est trop théorique pour les besoins du marché. Et ils jugent les finissants incapables de se frotter à la réalité des communications.

Les étudiants se sentent frustrés entre une formation qu'ils n'ont pas voulue et l'absence de la formation qu'ils auraient souhaitée.

On peut donc conclure que :
- les divers intervenants ne s'entendent pas sur ce que serait la formation idéale en relations publiques ;
- les associations professionnelles proposent une formation idéale boudée par les institutions universitaires ;
- les institutions universitaires sont engagées dans une recherche de clientèle étudiante qui peut nuire à leurs objectifs de formation ;
- les professeurs sont attirés davantage par leur recherche que par leur devoir de former des praticiens.

Faut-il s'étonner de cette situation ? Certes non, car cela signifie que des efforts réels sont engagés dans la formation, que les besoins sont divergents et que les institutions s'adaptent aux nécessités du milieu en améliorant d'une année à l'autre la formation qu'elles proposent aux relationnistes éventuels ou actuels.

4

COMMENT S'ORGANISE
LA PROFESSION ?

Si la définition des relations publiques fait l'objet d'un certain consensus, on a vu que la formation à ce métier prenait diverses voies. Voyons maintenant comment s'organise l'univers réel des relationnistes, celui qui est vécu quotidiennement par les praticiens de ce métier.

1. L'ÉTAT DES LIEUX

Un bref tour d'horizon de ce qu'est cette profession s'impose d'abord. C'est ici que se confrontent la réalité et la théorie, le vécu et le souhaitable.

1.1 Une profession non balisée

Il y a une caractéristique commune dans le monde des communications : il n'existe pas de critères absolus de sélection, ni d'exercice rigide de la profession, comme c'est le cas pour les professionnels régis par l'Office des professions. Que ce soit les journalistes, les publicistes, les relationnistes, les animateurs et les réalisateurs à la radio et à la télévision, tous ces métiers peuvent se pratiquer sans exigence minimale. Chaque employeur est donc libre de déterminer ses critères d'embauche. La profession est composée de personnes aux profils diversifiés. Il se dessine toutefois une tendance : de plus en plus, on exige une formation universitaire, et de préférence en communication. L'étude des diverses offres d'emplois qui paraissent dans les médias en témoigne.

Par ailleurs, comme cette profession n'est pas réglementée, n'importe qui peut commander des cartes de visite et y accoler le titre de relationniste à côté de son nom. Sans préparation adéquate, leur incompétence fait vite surface, à commencer par le fait que certains écriront le mot relationniste avec un seul « n ».

La demande grandissante de spécialistes des relations publiques sur le marché du travail a donné naissance à une certaine improvisation qui s'est manifestée, tantôt par le recyclage dans l'entreprise de gens guère préparés à exercer ce métier, tantôt par l'engagement de spécialistes d'autres disciplines de la communication qui ont trop souvent identifié les relations publiques à leur spécialité d'origine (journalisme, marketing, publicité).

Mais c'est la même demande qui explique l'engouement des étudiants pour ce métier. Aujourd'hui, toutes les entreprises et organisations doivent savoir se présenter sur la place publique. Ainsi, chacune d'elles désigne un porte-parole, organise des activités de communication, recherche l'attention des médias. Et pour ce faire, elles engagent des spécialistes.

La Société canadienne des relations publiques et la Société des relationnistes du Québec essaient d'imposer un standard de qualité en attribuant le titre d'agréé en relations publiques (ARP) aux membres qui possèdent un certain nombre d'années d'expérience et qui passent avec succès le concours qui s'y rattache.

Du fait qu'il s'agit d'une profession ouverte, il est difficile de savoir combien de gens pratiquent ce métier. La Société des relationnistes du Québec estimait, à l'aube de l'an 2000, que quelque 4 000 personnes travaillaient dans ce secteur. Cependant ce chiffre est très conservateur car on peut déjà évaluer à quelque 1 000 personnes l'effectif du secteur des communications au gouvernement du Québec seulement.

Tout ceci témoigne de la difficulté d'obtenir des informations exactes dans ce secteur, ce qui est à l'image de ce métier qui refuse de se plier à quelque règle que ce soit. L'étude de Losier (1992) révèle en effet à quel point une industrie qui est en plein développement dans un contexte de resserrement économique est, somme toute, plutôt discrète sur sa propre destinée. Losier n'a pu obtenir mieux qu'un taux de réponse de 19% à son questionnaire. Il s'agit pourtant d'un secteur qui génère des centaines de millions de dollars de revenus par année.

Le journal *Les Affaires* a publié une nomenclature des firmes conseils en relations publiques pendant de nombreuses années, mais il a cessé de le faire car il ne pouvait pas obtenir de données fiables sur l'ensemble de la profession. La revue *Info Presse* publie chaque année un répertoire des firmes de relations publiques, mais les données restent partielles.

1.2 Un métier complexe

Pratiquer les relations publiques constitue un métier de plus en plus complexe pour les raisons suivantes :

- Le métier est rendu de plus en plus difficile avec un nombre toujours croissant d'intervenants sur la place publique. Ainsi, les enjeux sociaux sont gérés par de plus en plus de personnes. Percer dans ce bruit communicationnel continuel constitue une lourde tâche.
- Certains patrons comprennent mal ce secteur d'activité et finissent par croire qu'avec les communications on peut renverser des montagnes, hisser au sommet des présidents et détruire ses adversaires. En fait, ils accordent parfois aux communications un pouvoir magique qui pourtant semble réel puisque, dans certaines circonstances, ces phénomènes se produisent.
- Les patrons-clients attendent des relationnistes qu'ils soient des personnes orchestres sachant tout faire avec excellence, connaissant toutes les techniques, manipulant toutes les nouvelles technologies et, en même temps, pouvant aisément jongler avec le contenu.
- Le communicateur est de plus en plus partagé entre ses propres convictions et les attentes de ses patrons (ou clients). D'une

part, pour réussir, il lui faut savoir être un excellent merce-
naire. D'autre part, pour être bien dans sa peau, il lui faut
croire en certaines valeurs. Les deux attitudes ne sont pas toujours en harmonie et s'opposent parfois.

— Dans les services de communication, il y a une notion d'urgence qui échappe aux autres unités administratives. Même en
planifiant de façon très large ses activités, il arrive que le
relationniste dépende de multiples personnes pour réaliser ses
projets. La seule étape de la prise de décision peut être lente,
l'approbation des textes peut s'éterniser, le graphiste peut être
débordé et ne pas respecter ses échéanciers. Et au bout du
compte, le fournisseur du service ultime ne s'engage plus à
respecter l'échéancier promis au départ parce que tous les
délais ont été dépassés. Le relationniste doit donc jongler continuellement avec ces impondérables. Car il ne peut retarder la
conférence de presse, l'inauguration ou le lancement déjà annoncé pour une date donnée. En contrepartie, cette pression
constante trouve des soupapes dans le rire et la détente. Le
stress sans compensation deviendrait insupportable. Il se développe donc souvent dans les activités de communication un
climat d'euphorie enivrante qui permet de compenser les pressions indues.

— Les urgences du quotidien amènent les relationnistes à se pencher davantage sur des solutions instrumentales aux problèmes
qu'ils doivent résoudre plutôt qu'à réfléchir sur le bien-fondé
de ces problèmes ou sur les conséquences des solutions
proposées.

— Le poste de relationniste repose sur une logique de visibilité et
de symbole de l'entreprise. Et tout ce qui est visible est plus
vulnérable. C'est ce qui rend parfois périlleux l'exercice de ce
poste. La directrice des communications du Comité du Oui
canadien a perdu son poste à l'automne 1992, après avoir diffusé le YES sans le Oui, lors du lancement de la campagne
référendaire. Le directeur des communications du NPD a
perdu son poste parce qu'il a fait préparer sa campagne publicitaire aux États-Unis, alors que son parti condamnait ces

pratiques d'avoir recours à des ressources américaines lorsqu'on pouvait tout aussi bien avoir recours à des ressources
canadiennes. Gilles E. Néron, président d'une agence de communication, a passé plus de 4000 heures à essayer de réparer les
effets négatifs de l'expédition d'une simple lettre qui se voulait
informelle (voir l'exemple 5).

— Le relationniste est toujours assis entre deux chaises. Il diffuse
un contenu qui ne lui appartient pas aux médias qu'il ne contrôle pas. Il est donc continuellement à cheval sur des univers
différents qu'il lui faut lier. De ce fait, le chargé de communication peut se demander s'il est désiré au sein de l'entreprise
ou s'il est tout simplement toléré? Empiète-t-il sur d'autres
fonctions stratégiques plus anciennes? Doit-il participer,
comme les autres partenaires de l'entreprise, aux luttes de
pouvoir? Est-il bien perçu par l'ensemble des employés à tous
les niveaux de la hiérarchie? Autant de questions qui con-
courent à définir le poste de chargé de communication comme
un siège éjectable.

1.3 La spécificité des tâches

Il n'est pas toujours facile de donner du relationniste une définition
qui tienne compte de toutes les possibilités de ce métier. Tout se passe
un peu comme si on demandait à des avocats spécialistes en droit aérien
ou en droit d'auteur d'une part, et à des avocats spécialisés en droit
fiscal ou en droit commercial d'autre part, de préciser leur identité
commune. Chacun possède sa spécialité propre et elle est certainement
différente de celle du juge à qui l'on demanderait aussi de définir ses
tâches. Ou encore de celle de l'avocat politicien ou de l'avocat diplo-
mate qui seront tentés de définir leur champ d'activité en fonction
davantage de leur vie professionnelle actuelle que de leur formation de
base. Mais ils ont tous en commun d'avoir reçu une formation de base
obligatoire: celle d'avocat.

On a vu qu'une telle contrainte n'existait pas en relations publiques, d'où la nécessaire disparité entre les appellations de ceux qui
pratiquent ce métier.

Exemple 5

Gilles E. Néron raconte ses déboires

Tout cela pour une simple petite lettre

GÉRARD BÉRUBÉ
LE DEVOIR

Une lettre qui se voulait informelle, assure M. Néron, dans laquelle il ne sollicitait qu'une rencontre avec la réalisatrice, mais qui a été perçue comme étant une critique officielle d'un reportage dénonciateur du *Point* impliquant la Chambre des notaires du Québec. Et qui a conduit à un second reportage encore plus virulent. Tout a basculé par la suite; le sol s'est effrité sous les pieds de Gilles Néron.

Devant cette nouvelle controverse, la Chambre des notaires a tôt fait d'annoncer, par la voie d'un communiqué, qu'elle n'endossait pas cette initiative, qu'elle se dissociait de GEN Communication. Peu avant, cette firme de communications s'était vu confirmer un nouveau mandat, de 18 mois. Tout est tombé à l'eau, GEN Communication recevant le 20 janvier 1995 une télécopie dans laquelle la Chambre des notaires annonçait qu'elle mettait fin à leur relation d'affaires.

Pire, le communiqué de la Chambre des notaires, dont la diffusion parmi les membres de cete profession a connu des débordements vers les autres ordres professionnels, est venu frapper là où GEN Communication s'abreuvait le plus en man-

Gilles E. Néron, président de Gen Communication marketing, est à bout de souffle. Après plus de 4000 heures passées à constituer un volumineux dossier réparti en une quinzaine de cartables gonflés par une abondante documentation, il se demande encore, quatre ans plus tard, comment une simple petite lettre a pu se transformer en cauchemar. Lui qui est partisan de la liberté de presse en veut à cette presse qui, à ses yeux, prend des libertés.

JACQUES NADEAU LE DEVOIR
«Je ne travaille pas sous une compagnie à numéro. Je ne peux donc pas changer de numéro et repartir comme si de rien n'était. Mon nom constitue mon seul actif.»

dats et où elle faisait sa spécialité.

«Je ne travaille pas sous une compagnie à numéro. Je ne peux donc pas changer de numéro et repartir comme si de rien n'était. Mon nom constitue mon seul actif. La crédibilité et l'intégrité associées à ce nom, mon seul capital. Dans notre métier, la controverse, quelle qu'elle soit, éloigne les clients potentiels», a résumé Gilles Néron au cours d'un entretien au *Devoir*.

En réaction à un reportage

Une simple petite lettre, donc. Écrite en réaction à un reportage du *Point* diffusé le 15 décembre 1994. Un reportage qui plaçait la Chambre des notaires au banc des accusés à partir d'une situation vécue par deux citoyens. Une simple petite lettre, qui renfermait une ou deux erreurs, selon les interprétations de chacun. Dans un cas, M. Néron présentait le notaire visé comme étant un associé du plaignant. Ce qu'a contesté l'équipe du *Point*, mais qu'on pouvait lire dans deux documents de cour, émis en mars et en juin 1992. Dans le deuxième cas, il présentait le plaignant comme étant le frère d'un dirigeant d'une secte qui avait déjà défrayé les manchettes, un lien de parenté que le reportage a pu contredire. Malgré l'envoi d'une lettre d'excuse à ce plaignant, GEN Communication a été poursuivie pour diffamation et n'a pu bénéficier de l'appui de son assureur.

Une lettre écrite à la réalisatrice de l'émission, dans laquelle le président de GEN Communication sollicitait une rencontre afin que la Chambre des notaires puisse expliquer clairement son point de vue et donner sa version des faits. Une initiative personnelle, une lettre qui n'avait pas été écrite à la demande de qui que ce soit, a tenté de faire valoir Gilles Néron, qui précise: «*Il entre dans ma façon de faire de ne pas parler au nom de mes clients. Je suis un facilitateur. Je mets les gens en contact.*»

VOIR PAGE B 2: **LETTRE**

Source : *Le Devoir*, samedi 5 septembre 1998.

LETTRE
Devant le Conseil de presse

SUITE DE LA PAGE B 1

Une lettre, informelle selon M. Néron, qui a été interprétée comme étant une critique officielle par l'équipe du Point. *«Cette lettre [...] contenait de graves accusations non seulement contre le Point mais aussi des citoyens qui accusaient depuis longtemps la Chambre de les avoir injustement traités et qui avait été interviewés dans le cadre de notre reportage du 15 décembre [1994]»*, a souligné le rédacteur en chef du *Point*, Jean Pelletier, dans sa réplique au Conseil de presse. Une lettre qui aura donné lieu à un deuxième reportage, le 12 janvier 1995, intitulé *«La Chambre des notaires du Québec cafouille encore»*. Un reportage bâti autour de la lettre de M. Néron. On peut imaginer la suite. Plaintes au Conseil de presse, plaintes à l'ombudsman de la Société Radio-Canada, pluies de poursuites, contre Gen Communication, contre la SRC, contre la Chambre des notaires... Tout a chaviré.

Plainte rejetée

Dans sa réponse du 12 juillet 1995, l'ombudsman de la Société Radio-Canada, Mario Cardinal, a abordé cette *«sorte de confusion, délibérée ou pas, autour du caractère»* de la lettre. Il emploie à au moins quatre reprises le mot *«perçu»* par l'équipe et considère que *«les gens du Point étaient justifiés de la considérer comme une plainte formelle»*. M. Cardinal, qui a rejeté l'ensemble des plaintes de M. Néron, a toutefois reconnu que le titre de l'émission *«La Chambre des notaires du Québec cafouille encore»*, n'était pas un «titre très heureux». M. Cardinal a également admis que ce reportage du 12 janvier 1995, en ne retenant que les deux erreurs de la lettre sans faire état des critiques soulevées, *«a sérieusement péché contre le principe de l'équité en omettant de faire état des cinq griefs qui constituaient l'essentiel de [la] lettre pour ne retenir que les deux erreurs»*.

Et l'ombudsman va plus loin dans sa réponse à Gilles Néron: *«De votre lettre, on a plutôt choisi de ne retenir que vos deux erreurs. Ce qui donnait à l'émission une allure de règlement de compte qui n'a pas place à Radio-Canada»*, tout en ajoutant que les deux erreurs relevées devaient cependant l'être. Mais M. Cardinal n'a pas voulu trancher quant au coeur même de la plainte. *«[...] dans le cas précis qui nous concerne, a-t-on fait preuve de suffisamment de bon sens et de bon jugement en prenant la décision éditoriale de fabriquer une émission à partir de votre lettre? Je ne me prononcerai pas sur ce point, c'est un autre débat.»*

Cette communication a donné lieu à un autre épisode, à une petite parenthèse dans ce sinueux roman, le *«cas Néron»* ayant servi de contenu à Mario Cardinal pour une émission, *«L'ombudsman»*, présentée à RDI le 1er octobre 1995. Dénonçant cette diffusion sans son consentement, et reprochant à l'ombudsman de contrevenir lui-même au code d'éthique de la SRC en remettant en onde l'émission en litige, Gilles Néron a déposé une plainte, contre l'ombudsman, devant le Conseil de presse. Mario Cardinal s'est défendu en rappelant que *«cette émission s'inscrit dans une volonté de Radio-Canada d'être plus transparente et de faire mieux connaître au public la politique journalistique qui guide ses journalistes dans leurs démarches»*.

Une simple petite lettre, une simple confusion autour d'une petite lettre, qui a également soutenu une démarche aussi infructueuse devant le Conseil de presse sur l'enjeu principal à l'origine de tous ces démêlés. En même temps qu'il s'adressait à l'ombudsman de la SRC, Gilles Néron déposait une plainte devant le Conseil de presse. C'était le 18 mai 1995. Le tribunal d'honneur était à peaufiner les détails de sa décision lorsque le 11 janvier 1996, et en l'absence de rétractations, M. Néron n'a eu d'autres choix, délai de prescription oblige, que de déposer une poursuite contre la SRC en cour supérieure.

Le Conseil s'est tu

Gilles Néron attendait les conclusions du Conseil de presse en février 1996. Puis en avril et enfin à la mi-mai, le Conseil de presse s'activant à mettre la touche finale à la décision. Mais le Conseil s'est tu. Il n'a pas rendu de décision. Dans une lettre datée du 4 juin 1996 remise à la secrétaire générale par intérim du Conseil de presse, Marie-Philippe Bouchard, premier conseiller juridique de la SRC, soumet que *«le plaignant devrait choisir le forum qu'il entend utiliser pour débattre de ces questions»*. Puis le 12 juin de la même année, le Conseil de presse émettait un communiqué faisant état d'une nouvelle approche retenue eu égard à l'étude des plaintes lorsqu'il y a parallèlement poursuite civile.

Dorénavant, et cela vaut pour les plaintes à venir et antérieures à cette date, *«devant la double démarche d'un plaignant, le Conseil lui demandera de faire le choix de son recours»*. Le Conseil craignait alors de se retrouver en violation de la règle du *sub judice* s'il poursuivait sa démarche alors qu'un litige est pendant devant les tribunaux et estimait que sa décision pourrait avoir une influence sur le procès en cours.

Ce qui a soulevé l'ire de Gilles Néron. En réponse à cette réaction, Madeleine Leduc, présidente du tribunal d'honneur du Conseil de presse, a souligné: *«Nous ne vous plaçons pas devant un ultimatum mais un choix honnête de décider quel recours servira le mieux vos intérêts personnels. Radio-Canada nous a fait la demande de suspendre notre décision qui n'était pas encore rendue publique et non transmise aux parties.»* C'était le 18 octobre 1996.

Dans sa défense à la poursuite déposée par Gilles Néron en Cour supérieure, reçue le 5 mars 1997, la SRC rappelle, au paragraphe 31 d'un document qui en contient 118, *«[...] que le Conseil de presse n'a pas donné suite à la plainte des demandeurs et que leur plainte a été rejetée par l'ombudsman du réseau français de Radio-Canada».*

Une petite lettre, une simple petite lettre.

Par ailleurs, il faut reconnaître que le jeune relationniste ne peut prétendre aux mêmes égards que ses aînés. Il existe donc une certaine hiérarchie des postes et des titres en relations publiques qui dépendent de la formation reçue et de l'expérience acquise. À cela s'ajoute une certaine disparité des dénominations en fonction de la filière dont sont issus ceux qui décident de cette dénomination.

◆ Le *technicien en information*

Le technicien en information occupe un poste de soutien. Il fait la collecte de l'information, il prépare la documentation, il aide à la réalisation des activités.

Bien formé, il peut écrire des communiqués, préparer des revues de presse, être hôte dans les expositions et même préparer les éléments de base à la rédaction de discours. Comme technicien, il a un salaire inférieur au professionnel parce qu'en principe il ne détient pas un diplôme universitaire.

Dans les faits, certains universitaires acceptent des postes de technicien parce qu'ils leur permettent d'accéder au métier de relationniste. Ce qui n'empêche pas certains techniciens sans diplôme universitaire d'être capables de remplir les mêmes tâches qu'un universitaire, si leur expérience du métier et leur curiosité intellectuelle leur ont permis de développer les aptitudes nécessaires.

◆ Le *professionnel en communication*

Il s'appelle relationniste, agent d'information, attaché de presse, chargé d'information. Il possède un diplôme universitaire et c'est à lui que revient la tâche de réaliser toutes les activités de communication. Il doit savoir rédiger, concevoir et produire des plans de communication.

«Planification stratégique, relations de presse, communications organisationnelles, relations gouvernementales, organisations d'événements, analyse et gestion des enjeux, rédaction de discours, formation de porte-parole, production d'outils de communication, prévention et gestion de crise englobent tout autant de fonctions et de responsabilités différentes qui ne cessent de se développer», précise la relationniste Solange Tremblay.

Le professionnel des relations publiques est donc appelé à assumer toutes les tâches de communication. Toutefois, compte tenu de la diversification de ces tâches, tout professionnel se concentrera dans un champ d'activité duquel il pourra revendiquer le statut de spécialiste.

◆ Le *cadre en communication*

Il s'appelle directeur du service ou de la direction des relations publiques, directeur des affaires publiques ou des communications. Il est gestionnaire d'une équipe de communicateurs. C'est à son niveau que se définissent les grandes stratégies de communication. C'est lui qui participe aux prises de décision de l'entreprise.

Selon son statut hiérarchique dans l'entreprise, il sera un service (cinquième niveau hiérarchique), une direction (quatrième niveau), une direction générale (troisième niveau) ou une vice-présidence communication (deuxième niveau). Plus le service est éloigné du deuxième niveau, moins il occupe de place dans l'entreprise. Il existe toutefois une exception. Dans quelques entreprises, on permettra au directeur général des relations publiques (troisième niveau) d'assister au comité de direction de l'entreprise sans avoir le rang de vice-président.

Nous allons maintenant voir les façons de pratiquer le métier de relationniste. Celui-ci peut, en effet, s'exercer en entreprise, dans une agence ou comme pigiste. De ce fait, le relationniste aura à accomplir des tâches différentes, ou les mêmes tâches, mais avec des contraintes différentes.

2. LE TRAVAIL EN ENTREPRISE

La majorité des relationnistes travaillent en entreprise, c'est-à-dire à l'intérieur d'une organisation spécifique, ayant une vocation particulière. Comme c'est à l'intérieur des entreprises que se prennent les décisions de définir les priorités de communication, d'engager des activités et de décider du bien-fondé de toutes les actions à entreprendre, le relationniste joue un rôle d'expert-conseil et de producteur de message. C'est ici que prend toute sa dimension l'appropriation du contenu d'une organisation. Pendant la durée de son séjour dans une entreprise, le relationniste devra apprendre la richesse, la diversité et la complexité d'un contenu qui habituellement tourne autour d'un thème particulier. Travailler pour une maison d'opéra ou pour un club de hockey requiert les mêmes savoir-faire au niveau des techniques, mais des connaissances diamétralement opposées au niveau des contenus et un réseau de contacts différent. En fait, chaque organisation ou entreprise tourne autour d'un contenu spécifique.

2.1 La raison d'être d'un service de communication

Est-ce un luxe ou une nécessité pour une entreprise de se payer un service de communication? Pourquoi une organisation choisit-elle de confier son service de communication à une seule personne alors qu'une autre n'hésitera pas à engager une vingtaine de spécialistes pour gérer ses communications?

On voit d'abord que plus une entreprise est importante, plus elle a d'employés, plus elle sent le besoin d'avoir une équipe de communication à sa disposition. Plus une entreprise se développe, plus elle investira dans ses services de communication et de relations publiques.

Si les relations publiques sont un état d'esprit qui doit être partagé par tous les partenaires d'une organisation, la mise sur pied d'un service de relations publiques repose sur deux ordres de contrainte : la première est externe et la seconde est interne à l'entreprise.

◆ La pression externe

Nous avons expliqué au premier chapitre les raisons qui motivent une entreprise à pratiquer des relations publiques. Une organisation doit impérativement s'intégrer à son milieu. Elle ne peut vivre repliée sur elle-même, et ce, pour plusieurs raisons :

— *La dimension pratique*

Pour vivre et survivre, une entreprise doit faire connaître et faire accepter ses politiques, lois, règlements, produits, services, programmes ou idées. Il faut que ceux-ci coïncident avec les besoins du milieu, ou tout au moins qu'il y ait adéquation. L'organisation doit donc démontrer à ses publics qu'elle est dynamique, efficace et soucieuse d'offrir un service de qualité. Une entreprise ou un produit dont on ne parle pas n'existe pas.

— *La dimension image*

L'image d'une entreprise est en quelque sorte un juste milieu entre sa personnalité, l'image projetée et l'image reçue. Si elle ne fait rien pour s'assurer que sa personnalité soit bien perçue et corresponde à l'image qu'elle veut donner d'elle-même, l'image sera complètement abandonnée aux aléas de l'actualité. Par ailleurs, l'image perçue doit être analysée et surveillée pour s'assurer qu'elle correspond à l'image projetée.

Le responsable des communications doit donc avoir l'œil sur tout sujet qui concerne l'orientation de l'entreprise et qui peut avoir des répercussions sur l'image. Une image non entretenue est une image abandonnée. Aucune entreprise ne peut se permettre un tel laisser-aller.

— *La dimension défense*

Une entreprise doit affronter des adversaires, des concurrents, des ennemis, des idéalistes, des activistes, des mécontents et même des journalistes pas toujours conciliants. Les uns et les autres vont créer des prix citron pour démolir ceux qui ne partagent pas leurs idéaux, vont bloquer des entrées, des édifices, des ponts et des routes pour démontrer leur opposition. Certains même n'hésiteront pas à avoir recours à la violence, comme certains membres du groupe Pro-vie qui ont été jusqu'à assassiner des médecins prônant une pratique qu'ils désapprouvaient.

— *La dimension sociale*

Il appartient aux entreprises de se construire une image de bonne personne morale, de responsabilité sociale, de partenaire actif dans la communauté. Il s'agit de préparer une toile de fond de sympathie, sur laquelle viendra se dessiner toutes les actions de développement. Cette préoccupation fait la différence lorsque l'entreprise se retrouve dans une situation de crise. En effet, elle peut alors confronter l'accident de parcours qui la déshonore avec un bienfaisant filet de sécurité qu'elle a tissé.

— *La dimension politique*

Le législateur est omniprésent dans toutes les sphères de l'activité humaine. Il réglemente les fusions, les faillites, la syndicalisation, la sécurité en emploi, le salaire minimum, les congés obligatoires, la discrimination, la publicité, la langue d'affichage, etc. Ou l'entreprise intervient pour faire savoir les avantages et les inconvénients d'une législation ou réglementation, ou elle subit les pressions des autres.

— *La dimension consultation*

Qui détient le mandat, à l'intérieur d'une entreprise, de savoir ce que le public pense ? Et qui oriente les décisions en fonction des besoins exprimés ou pressentis ? Il appartient au relationniste de tenir une veille de ce que pense le public, de structurer ses besoins et ses désirs et de les traduire à la haute administration. Ceci se fait par une écoute passive, soit la revue de presse ou la lecture des plaintes, ou par une action proactive, soit la consultation régulière.

— *La dimension stratégique*

Pour convertir toutes les informations recueillies en des actions dynamiques et efficaces, il faut que quelqu'un puisse les comprendre, les analyser et les interpréter. Encore ici, cette tâche n'est pas assumée par les autres directions d'une entreprise.

— *La dimension aide aux médias*

Les journalistes sont portés à chercher des compléments d'information là où ils savent qu'ils seront bien reçus et qu'ils obtiendront rapidement les renseignements qu'ils recherchent. D'où la nécessité d'avoir une structure d'accueil efficace pour eux. De ce fait, il paraît évident qu'il faut, à l'intérieur d'une entreprise, une entité administrative qui gère ces dimensions de la réalité. Or, la tradition veut que ce soit dans une direction de communications.

◆ La pression interne

Dans une entreprise, il faut que tous les employés connaissent les grandes lignes d'action et les principaux programmes, de façon à ce qu'ils soient des chaînons efficaces dans l'organisation du travail. En même temps, ils pourront être des diffuseurs privilégiés de la réalité de l'entreprise et les animateurs dynamiques de ces programmes.

— *La dimension organisation*

Toute organisation se structure à partir des informations qui circulent à l'intérieur de ses murs. Si un employé ne connaît pas les directives qui lui sont destinées et n'est pas au courant des changements survenus dans l'organisation du travail, il ne pourra pas être productif. Il sera même contre-productif.

À titre d'exemple, lorsqu'une vedette réserve la Place des arts à Montréal pour une série de spectacles, si personne ne fait imprimer les billets, ne fait connaître aux médias et au public les dates et les heures des spectacles, n'avise les hôtesses de se présenter aux heures désignées, ne donne pas toutes les informations pertinentes aux éclairagistes, les spectacles connaîtront des ratés. Tout réside dans la communication aux uns et aux autres des tâches qui leur sont destinées et des attentes qu'on leur signifie.

L'organisation doit donc informer ses publics internes sur les politiques, les projets et les services qu'elle propose, de façon à les faire mieux comprendre et accepter.

— *La dimension cohérence*

Si, dans une organisation, chaque service peut décider d'organiser une conférence de presse, de procéder à un lancement, de produire son propre logo sur son papier à lettres, il y aura quelque part une certaine cacophonie.

L'organisation pourrait ainsi convoquer les journalistes la même journée à deux événements différents, chaque unité ignorant la décision de l'autre. C'est pour assurer la cohérence interne des communications d'une entreprise qu'on a canalisé à la direction des communications toutes les activités de communication.

— *La dimension soutien*

Lorsque vient le temps de produire un communiqué, un dépliant, une affiche, une vidéo, une publicité ou une exposition, si chaque unité doit réapprendre chaque fois les règles de base, de chaque outil de communication, beaucoup d'énergie sera perdu dans l'entreprise. C'est pourquoi l'on demande à la direction des communications de servir de soutien à toutes les unités pour les activités de communication et de production de matériel. Ainsi, l'expertise est accumulée au même endroit et peut servir à l'ensemble des unités. De plus, on retrouve, dans chacun des supports de communication produits, une unité d'image qui renforce la perception de la personnalité de l'entreprise.

— *La dimension animation*

Pour entretenir à l'interne un sentiment d'appartenance et de loyauté, il faut développer des stratégies d'animation du personnel. Pour leur faire partager les projets de l'entreprise, pour les rendre partenaires et pour animer leur esprit d'entrepreneuriat à l'interne, des actions concrètes doivent être prises. Les directions des ressources humaines et des communications travaillent étroitement à cet aspect. Les entreprises qui délaissent ces éléments se privent d'outils de motivation et de productivité importants.

Or, pour atteindre de tels objectifs, l'information comme telle ne suffit plus. Il faut animer l'esprit d'une équipe par des séminaires, des rencontres, des attitudes. La sensibilisation des employés en contact avec le public aux grands dossiers de l'organisation, à la personnalité que l'entreprise souhaite projeter, aux objectifs à atteindre, facilite le succès. Pour ce faire, il ne faut pas hésiter à consulter le public pour connaître ses états d'âme, ses résistances et ses appréciations.

— *La dimension conseil*

C'est enfin à sa direction des communications que l'entreprise demandera des conseils sur l'élaboration des politiques et des stratégies de communication, sur l'établissement et la définition d'objectifs à court et à long terme en relations publiques et sur l'élaboration des programmes de communication touchant les projets de l'organisation.

Ces éléments de pression externe et interne créent donc la nécessité de mettre sur pied des structures de communication efficaces et capables de gérer avec succès toutes les dimensions énumérées plus haut.

2.2 Un contenu spécifique

Chaque type d'entreprise témoigne d'un univers de connaissances différent, ce qui illustre le fait que les relations publiques sont adaptées à toutes les circonstances de la vie : activités économiques, commerciales, culturelles et même politiques. Voici, à titre indicatif, quelques pistes du vaste champ d'action dans lequel peut évoluer un relationniste.

Le monde des affaires

- Les milieux manufacturiers : les industries pétrolières, les industries de pâtes et papiers ;
- Les milieux économiques et financiers : banque, bourse ;
- Le monde de la mode : Benetton, Calvin Klein, Levis ;
- Le commerce de détail : les grandes chaînes d'alimentation ;
- Les relations d'affaires : les chambres de commerce ;
- La grande entreprise : Alcan, Bombardier ;
- Le monde du divertissement : le Cirque du Soleil.

Le monde gouvernemental

- Sur le plan international : les grandes agences mondiales comme le Fonds monétaire international, les ambassades ;
- Sur le plan fédéral : les ministères, les parcs nationaux ;
- Sur le plan provincial : les régies, les commissions de toute nature, Hydro-Québec, Loto-Québec, Musée du Québec ;
- Sur le plan municipal : service des loisirs.

Le monde des services

- Les professionnels : l'ordre des notaires, des dentistes, des architectes, des avocats ;
- Les assurances : maisons, auto, responsabilité ;
- La construction : plombiers, électriciens, entrepreneurs.

Le monde culturel

- Le théâtre ;
- La danse ;

- Les spectacles de musique populaire ;
- Les orchestres symphoniques ;
- Les musées.

Le monde sportif

- Les sports professionnels : hockey, baseball, basketball ;
- Les sports amateurs ;
- Les fédérations sportives ;
- Les établissements sportifs : arénas, stade olympique.

Les milieux communautaires

- Les activités entourant les enfants : les garderies, les centres de loisirs ;
- Les activités entourant les femmes : les familles monoparentales ;
- Les activités concernant les hommes : les Chevaliers de Colomb ;
- Les activités concernant les communautés culturelles.

Le monde de la santé

- Les hôpitaux et les cliniques ;
- Les fondations diverses : le cancer, les handicapés ;
- La protection de la santé : les alcooliques anonymes, Centraide.

Les milieux confessionnels

- La religion catholique : la papauté, l'archevêché, les églises, la pastorale ;
- Les religions protestantes ;
- La religion juive ;
- La religion islamique.

Le milieu scolaire

- Les garderies ;
- Les écoles publiques et privées ;
- Les cégeps et les universités ;
- Les écoles spécialisées.

Les citoyens-consommateurs

— Les associations de consommateurs ;
— Les comités de citoyens ;
— Les comités de défense.

Les groupes de loisirs

— Les numismates ;
— Les cartophiles ;
— Les oenophiles ;
— Les orchydophiles ;
— Les ornithologues.

Les clubs sociaux

— Lions, Kiwanis, Richelieu.

Les groupements à but non lucratif

— Ils sont légion et recouvrent toutes les préoccupations de l'activité humaine.

Le monde de la communication publique est ainsi vaste et diversifié. C'est ce qui en fait sa richesse et, en même temps, ce qui rend la définition plus difficile. Les conseillers en communication se retrouvent aussi bien dans la grande industrie, les grandes organisations nationales et internationales que dans le monde du théâtre, du sport et des entreprises à caractère bénévole. La communication publique est pour certains une façon d'être qui touchent à toutes les sphères de l'activité humaine. Celui qui choisira sa sphère d'activité lui-même a plus de chance de travailler dans un univers avec lequel il sera en symbiose que celui qui se laissera happer par le premier employeur qui veut bien l'engager.

2.3 Une réalité complexe

Si les grandes organisations se sont dotées d'un service des relations publiques, il n'en est pas de même pour la majorité des petites et moyennes entreprises.

Par ailleurs, même si les grandes organisations possèdent toutes leur direction de relations publiques, les rôles qu'on fait jouer au responsable de cette direction varient d'une organisation à l'autre, d'un patron à l'autre, d'un relationniste à l'autre. Car chacun ne voit pas de la même façon le rôle que doit jouer une telle direction.

Les approches varient aussi selon la taille des entreprises. On peut dire que toutes les grandes organisations de services ont appris à se servir des communications. Elles ont toutes un vice-président aux communications, ou aux affaires publiques, ou à l'information, ou aux relations publiques ou aux affaires institutionnelles. Le nom importe peu. Ce qu'il faut retenir, c'est que la communication relève du plus haut niveau de gestion.

Certaines entreprises possèdent des structures extrêmement complexes. Des vice-présidents gèrent des services multiples : service de l'information, service de presse, service à la clientèle, service de la promotion, service de production audiovisuelle, service des expositions, service des renseignements, service des plaintes, service de la documentation, service d'accueil, service de communication interne. On se rend compte que le terme englobe un grand ensemble de réalités et que les communications empruntent de multiples facettes dans les entreprises.

◆ D'une organisation à l'autre

Toute entreprise, de quelque dimension qu'elle soit et quelle que soit son activité, a besoin d'accorder de l'importance aux relations publiques. Cette évidence exprimée par ceux qui pratiquent les relations publiques est loin de paraître aussi absolue lorsque l'on se situe à l'intérieur des entreprises. Et même de certaines d'entre elles qui ont déjà des services bien structurés de relations publiques.

En effet, il n'est pas rare, dans les situations de resserrement économique, que la haute direction sabre d'abord dans les services et les activités de relations publiques et de communication. Ces activités paraissent souvent pour plusieurs un luxe en temps de crise économique et une nécessité en temps de crise insoluble, où l'on appelle alors les conseillers en relations publiques pour sauver la firme du désastre.

◆ D'un patron à l'autre

La personnalité d'un patron influence énormément les activités de communication. Certains sont audacieux et n'hésitent pas à bousculer les habitudes acquises d'une entreprise pour imposer une philosophie dynamique d'utilisation des communications. D'autres sont timorés et vont tout faire pour tuer toute activité de communication, ne voyant chaque fois que les inconvénients éventuels et n'écoutant que les mises en garde négatives.

Par ailleurs, le relationniste peut être perçu comme un conseiller ou un exécutant, comme un stratège ou un emballeur. Ses tâches s'en trouveront alors affectées.

Il est vrai que les communicateurs ont parfois de la difficulté à être écoutés et appréciés à l'intérieur de leur entreprise. Ils ne jouissent pas toujours d'une forte crédibilité. Ceci s'explique en partie par le fait que les gestionnaires d'entreprises ont du mal à comprendre l'utilité des communications. Il s'agit pour eux de quelque chose de magique qui les rend héros un jour et malfaiteurs le lendemain. Ils ne comprennent pas qu'un relationniste ne maîtrise pas le travail des journalistes, par exemple. Et ils ne sont pas prêts à investir à moyen et à long terme pour construire une image dont ils ne sentent pas l'utilité.

Jean-Paul L'Allier soulignait, dans un article intitulé «La communication : une attitude autant qu'une aptitude», que tout le monde croit pouvoir faire des communications dans une entreprise. Et plus on monte en hiérarchie, plus on considère que les communications sont une qualité que confère son titre.

◆ D'un relationniste à l'autre

Il arrive aussi que les relationnistes ne soient pas à la hauteur des espoirs qu'on a fondés sur eux. Ils peuvent manquer de curiosité intellectuelle, de rigueur, d'imagination. Ils n'ont pas su s'adapter à la culture de l'entreprise. Ils sont incapables de construire des stratégies efficaces. Ils se complaisent dans un rôle de diffuseur. Il existe dans ce milieu, comme ailleurs, une certaine part de médiocrité. Certains sont mal préparés pour jouer ce rôle. D'autres ne veulent pas s'investir au niveau du contenu.

D'autres par ailleurs savent s'imposer par leur dynamisme et réussissent à susciter la confiance et à proposer des stratégies géniales.

Certains relationnistes vont blâmer l'entreprise et leur patron des difficultés qu'ils éprouvent dans leur travail. Dans certaines circonstances ils ont raison, mais ceci peut aussi être une excuse facile à leur manque de détermination.

Le relationniste peut donc, en partie, être responsable de son destin.

2.4 Une fonction politique et administrative

À l'intérieur de certaines entreprises, le relationniste peut être appelé à occuper deux fonctions distinctes : l'une politique, l'autre administrative. Celui qui occupe la fonction politique est souvent appelé «attaché de presse»; celui qui occupe la fonction administrative est «l'agent d'information» ou le relationniste.

La première fonction gère la personnalité et l'image d'un président, d'un ministre ou d'un artiste; la seconde gère les décisions une fois qu'elles sont prises. La première se préoccupe des raisons qui motivent les décisions, de l'orientation «politique» d'une entreprise; la seconde se préoccupe davantage du volet administratif des décisions, c'est-à-dire qu'elle les fait connaître et voit à leur application.

C'est dans le domaine politique que l'on retrouve la distinction la plus nette de ces deux fonctions : l'attaché de presse relève du cabinet du ministre et peut intervenir sur les projets en cours, sur les politiques en développement; l'agent d'information relève de la direction des communications et ne peut intervenir que sur les lois acceptées à l'Assemblée nationale. Ainsi, ce dernier ne peut participer à la promotion d'un *projet* de loi, ce qui est du ressort de l'attaché politique. Il intervient après sa sanction, lorsque la loi, le règlement ou le changement proposé a été accepté et est remis à la machine administrative pour sa mise en œuvre.

Parce qu'il est politique, l'attaché de presse partage l'image que possèdent les politiciens. On ne sait jamais, lorsqu'il parle, s'il dit vrai, s'il protège son ministre ou son président et s'il est fiable.

Parce qu'il est à mi-chemin entre le politique, l'administratif et les médias, l'attaché de presse joue parfois un rôle ingrat. Il est obligé de défendre un ministre ou un président qui ne le mérite pas toujours, et il doit pousser sur la machine administrative, qui résiste parfois aux volontés politiques. Il doit aussi affronter les journalistes qui se méfient parfois avec raison des politiques. À l'inverse, sa position de pouvoir peut le rendre arrogant et son inexpérience peut lui causer certaines difficultés, d'autant plus que les personnes politiques aiment bien recruter leur attaché de presse auprès d'anciens journalistes.

Les attachés de presse, ayant une formation ou une pratique journalistique, finissent parfois par détester leur anciens collègues, parce qu'ils ne sont pas aussi dociles que les agents d'information qu'ils peuvent tyranniser, parce qu'ils ne leur accordent pas l'espace souhaité, parce qu'ils ont l'audace de remettre en question les propos qui leur sont soumis.

Certains attachés de presse, malheureusement, partagent avec leur patron une trop haute estime de leur tâche et de leur rôle. Ils oublient trop souvent que ce n'est pas le rôle qui est important, mais le contenu qui doit découler de leurs responsabilités. Il est dommage que trop souvent la piètre figure des attachés de presse et des attachés politiques, qui ne sont que de simples amplificateurs du credo politique de leur parti, soit le critère de référence pour juger les relationnistes politiques. Certains sont sérieux parce qu'ils considèrent important pour la démocratie de donner l'heure juste. D'autres sont de véritables marionnettes qui vibrent à l'appel des amis du parti.

De son côté, l'agent d'information accomplit les tâches habituelles de tout relationniste dans n'importe quelle entreprise.

De façon plus générale, l'attaché de presse, comme son nom l'indique, s'occupe tout spécifiquement des relations de presse de l'entreprise ou de la personnalité pour laquelle il travaille. C'est ce qui explique son rôle stratégique, car il doit construire et maintenir la présence et l'image de son employeur dans les médias.

2.5 Sa situation dans l'organigramme

Si les relations publiques sont une fonction de direction et de décision, il paraît normal qu'un service de communication relève de la plus haute autorité. Il y a donc des vice-présidents aux relations publiques ou aux communications dans la plupart des grandes organisations.

L'importance qu'accordent les autorités d'une entreprise aux communications détermine la situation hiérarchique du service des communications dans l'organigramme. Plus le responsable de ce service se rapproche du sommet de la hiérarchie, mieux il peut intervenir et plus grande est sa crédibilité.

Il y a donc des relationnistes qui ont du pouvoir, qui font partie des conseils d'administration, qui ont l'écoute du président ou du chef d'entreprise et qui font de la communication stratégique.

Dans d'autres organisations, les relationnistes sont relégués au troisième ou quatrième niveau hiérarchique, sans grande possibilité d'intervenir directement sur les grandes décisions. Cette situation tient à la philosophie, à l'esprit de management d'une organisation. On voit ici qu'on s'éloigne de la situation idéale que nous avions exposée au début de ce livre. En fait, l'étude déjà citée de Losier, les données recueillies auprès du Forum des directeurs et directrices de communication du gouvernement du Québec et les réflexions diverses recueillies au gré des colloques nous portent à croire que la situation idéale existe dans la moitié des entreprises.

Les entreprises découvrent toutefois à travers les crises de plus en plus fréquentes que c'est aussi important d'avoir de bonnes communications que de bonnes productions. L'obligation de se présenter sur la place publique et d'affronter l'opinion publique les amène à faire cette constatation. De ce fait, la crise est une alliée intéressante du relationniste.

2.6 L'organisation d'une direction des communications

Le Conseil des directeurs et directrices de communication du gouvernement du Québec, l'ancêtre du présent Forum, avait préparé un «mandat type» d'une direction des communications dans lequel il avait décrit les tâches qui *devaient* nécessairement revenir à une direction et celles qui *pouvaient* lui être attribuées.

En fait, aucune direction des communications n'est constituée de la même façon. Les besoins de chaque organisation, le nombre et l'expertise de son personnel, les budgets alloués aux communications diffèrent d'un endroit à l'autre. Si l'on ajoute les luttes de pouvoir à l'intérieur des organisations, les chasses gardées traditionnelles, les amitiés et les inimitiés entre les personnes, on en arrive à des situations fort différentes d'une organisation à l'autre. La seule appellation de cette direction témoigne de la difficulté de trouver un consensus sur les tâches à accomplir.

Sa mission est de faire connaître les politiques, les programmes et les activités de l'entreprise, d'en présenter le bien-fondé, d'en expliquer et d'en justifier l'application, de rendre compte de leurs résultats.

Il serait utile de voir concrètement comment s'organise dans la pratique une direction de relations publiques. Pour ce faire, il n'y a pas de règles absolues. Mais il y a certaines habitudes qui se recoupent dans diverses boîtes.

◆ La règle des cinq personnes

Une certaine pratique veut qu'un chef ne gère guère plus de cinq personnes. Ainsi, un président de compagnie a rarement plus de cinq vice-présidents qui relèvent directement de lui. Un vice-président limite à ce nombre les directeurs généraux qu'il doit encadrer. Et ainsi de suite. Il faut savoir créer des équipes homogènes, avec des chefs d'équipe responsables qui sauront accorder toute l'attention requise à leur équipe. Plus il y a de personnes qui relèvent d'un chef, moins celui-ci a le temps de s'occuper efficacement de chacun d'eux.

Voici donc la façon de structurer les directions de relations publiques dans les grandes organisations. Le modèle proposé suppose que les tâches à accomplir et le nombre de personnes requises existent réellement. On ne structure pas une boîte par principe mais bien pour répondre à des besoins d'organisation.

Les services à offrir

Une direction des communications composée d'un seul responsable soutenu par une collaboratrice secrétaire n'accomplira pas les mêmes tâches que celle qui est composée de 10, 20 ou 30 personnes. Dans le premier cas, on a affaire à une personne orchestre qui se limite à quelques tâches essentielles, ou, si ses budgets le lui permettent, fait travailler beaucoup de pigistes ou, s'il est vraiment riche, engage une firme conseil en relations publiques pour le conseiller tout au long de l'année.

Dans le second cas, on a affaire à des professionnels spécialistes d'un champ donné des relations publiques coiffés par un directeur gestionnaire. Chaque professionnel pourra donc travailler toute l'année dans sa spécialité : relations de presse, expositions, audiovisuel, organisation d'événements, production, etc.

Selon le type d'entreprise, selon les besoins du moment, selon l'expertise du directeur, les tâches varieront.

Dans le mandat type mentionné plus haut, les principes de base de la fonction communication sont ainsi établis :

— *faire connaître les politiques, lois, règlements, services et programmes, tant à l'intérieur qu'à l'extérieur du ministère ou de l'organisme ;*

— *faciliter l'accès pour les citoyens aux services du ministère ou de l'organisme de même qu'à ses documents d'information ;*

— *identifier les autorités concernées et les informer des besoins et des préoccupations des citoyens en regard de ces politiques, lois, règlements, services et programmes ;*

— *développer le sentiment d'appartenance et la collaboration des intervenants dans l'élaboration et la mise en œuvre des politiques, lois, règlements, services et programmes ;*

— *contribuer au développement de la cohérence des communications gouvernementales.*

De ce fait, la fonction première de la direction des communications est de CONSEILLER l'entreprise en proposant une politique de communication et en développant des stratégies d'intervention auprès des différentes clientèles, tout en formulant des recommandations sur les ressources humaines, financières et matérielles requises.

La deuxième tâche est la CONCEPTION et l'ÉLABORATION des programmes de communication touchant les grands enjeux de l'entreprise, les activités internes et l'image institutionnelle.

La troisième est la PRODUCTION et la RÉALISATION de ces programmes, c'est-à-dire la collecte des données, la conception et la préparation des documents de toute nature, la rédaction et la production de ceux-ci, et enfin leur diffusion. Celle-ci peut se faire sous forme de documents écrits, de publicité ou d'expositions. Elle comporte une phase nécessaire d'évaluation et de rétroinformation.

À ces tâches qui appartiennent en propre aux communications peuvent se greffer d'autres tâches connexes qui peuvent relever des communications ou d'une autre direction. Il s'agit par exemple de la reprographie, du service de la documentation ou de la gestion du parc d'équipements audiovisuels et de télécommunications d'une entreprise.

La quatrième est la GESTION du personnel, de l'équipement et du budget. Dans les grandes directions des communications, il y a souvent un adjoint exécutif ou un relationniste manifestant des talents de bon gestionnaire qui s'acquitte de ces tâches. Dans de petites directions, la personne orchestre assume aussi ces responsabilités. Plus on demande à un relationniste d'être un excellent créateur, moins il sera enclin à se préoccuper des contingences matérielles qui entourent cette création. Il faut donc qu'il soit encadré.

Les tâches à réaliser

Le relationniste aura l'occasion de pratiquer toutes sortes de tâches selon le type d'entreprise et selon l'envergure de la direction des communications qui l'engage. Pour chacune de ces tâches, il a recours à diverses techniques.

Sans que ce soit exhaustif, voici quelques-unes de ces tâches et quelques techniques qui s'y rattachent.

◆ Les communications internes

Les communications internes s'exercent certes auprès des employés d'une entreprise, mais elles peuvent aussi s'étendre aux employés des autres succursales lorsque l'entreprise possède plusieurs centres de service, comme les banques, les chaînes de restaurant ou les entreprises qui possèdent plusieurs usines.

Dans certains cas, l'entreprise a des bureaux régionaux. Et dans d'autres, elle fait partie d'un conglomérat réparti sur plusieurs continents, comme les employés de Bombardier ou ceux d'entreprises diversifiées comme les grands groupes de presse.

Les communications internes sont utiles pour gérer certains *besoins* de l'entreprise, comme l'intégration des nouveaux employés, l'organisation du travail, la circulation de l'information, le sentiment d'appartenance, le climat interne et les crises.

Pour ce faire, le relationniste a recours à différentes techniques : le journal d'entreprise, le programme d'accueil, les nouvelles en réseau fermé, les rencontres avec le président, etc.

Il ne faut jamais oublier que tous les employés d'une organisation peuvent interagir avec le public. Le préposé au comptoir de la Société des alcools n'est pas un spécialiste des communications. Mais il peut donner des conseils, bien ou mal servir le client, sourire ou maugréer. Il en est de même des employés des bureaux régionaux des organismes. Ils doivent être en mesure de bien représenter l'organisation. D'où la préoccupation de bien informer ces personnes et de bien les orienter dans leur travail.

◆ Les communications externes

Elles concernent toutes les manifestations publiques de l'entreprise, soit :

- les relations de presse ;
- les expositions ;
- l'audiovisuel sous toutes ses formes, la photo, le diaporama, la vidéo, le film ;
- la publicité commerciale, institutionnelle, sociale et de plaidoyer ;
- la communication directe ;
- la promotion ;
- les campagnes d'opinion ;
- l'organisation d'événements : lancements, cocktail, inauguration ;

— la gestion des crises ;
— les campagnes de financement ;
— la propagande ;
— les affaires publiques et le lobby ;
— le service des renseignements et des plaintes ;
— la revue de presse et la rétroinformation.

Le rôle du relationniste varie selon les activités qu'il a à accomplir. Hôte un matin, expert en logistique le lendemain, porte-parole un autre jour, il doit savoir jouer de la polyvalence. Et ce ne sont pas tous les relationnistes qui exercent la fonction stratégique dans une organisation.

Dans certaines entreprises, on oriente le travail des relationnistes selon le contenu. Ainsi, les relationnistes ont chacun une unité administrative à guider et à servir. Et ils laissent aux spécialistes des techniques le soin de réaliser concrètement leurs recommandations. On a donc des spécialistes de contenu et des spécialistes de techniques. Ailleurs, c'est le même agent d'information qui prodigue les conseils et qui les met à exécution. Il assume donc la double tâche. On retrouve cette structure surtout dans les très grandes organisations où la nécessité de bien connaître un contenu particulier incite la direction à opter pour ce choix.

De plus, à l'intérieur des services, on parle de communication intégrée entre les relations publiques, la publicité, le marketing et la promotion, chaque élément étant partie d'un tout qui se nomme communication.

2.7 Les rapports avec les cabinets conseils

Aucun service de communications ne possède à l'intérieur de ses cadres toutes les compétences requises pour faire face aux différentes situations qu'il doit gérer. Que ce soit pour le graphisme, la production audiovisuelle ou la réalisation de publicité, les services de relations publiques font généralement affaire avec des firmes spécialisées ou avec des pigistes qui possèdent une expertise qu'il ne pourra jamais acquérir.

En d'autres circonstances, une direction peut requérir les services d'un cabinet conseil pour bénéficier d'un œil extérieur lorsque vient le temps de penser à des stratégies. Au moment des crises, plusieurs organisations découvrent la nécessité de faire appel à des compétences plus diversifiées pour les aider à les traverser.

Il y a donc un partage des tâches normales qui se fait entre un service et une firme. Mais il faut savoir que c'est le relationniste qui choisit la firme, qui décrit le contrat et qui accepte le produit fini. Il faut donc qu'il soit familier avec le travail de ces consultants.

Dans certaines circonstances, une entreprise peut décider de confier toutes ses relations publiques à une firme conseil. Elle délègue donc tous ses pouvoirs à la firme qui prêtera des membres de son personnel à l'entreprise à titre de chargés de projets. Ceci s'appelle l'impartition. Elle permet à une entreprise de bénéficier de toute l'expertise d'une agence pour un prix forfaitaire.

Le choix d'une firme conseil se fait habituellement par appel d'offres, c'est-à-dire que l'entreprise demande à quelques firmes de lui présenter une offre de service. Cette offre consiste à présenter la vocation de la firme, son personnel, les contrats qu'elle a obtenus dans le passé, tout particulièrement dans le domaine qui s'assimile au mandat qui est proposé, sa grille tarifaire, et enfin une présentation de la façon dont elle entend traiter le mandat. Cette offre se fait habituellement devant un jury qui détermine quelle firme est la plus apte à remplir le mandat.

Dans certaines circonstances, l'appréciation et l'amitié qui lient un membre d'une firme et le responsable des communications d'une entreprise expliquent le choix de cette firme.

2.8 La communication intégrée

Historiquement, les relations publiques, la publicité et le marketing ont constitué des entités indépendantes et séparées, défendant jalousement leur territoire. Les premières devaient gérer la communication institutionnelle, la seconde, la communication commerciale et la troisième, le produit. Pour marquer la séparation entre ces disciplines, les firmes de publicité ont même créé des filiales de relations publiques pour bien signifier la distinction entre les deux : Optimum est une filiale de Cossette ; Burson-Marsteller de Young et Rubicam ; Hill et Knowlton, de J. Walter Thompson.

Les grandes multinationales, comme McDonald's, ont ainsi recours à des agences différentes selon qu'elles ont besoin de conseils en relations publiques ou en publicité. Mais nous avons vu que, de plus en plus, les entreprises utilisaient tour à tour les relations publiques et la publicité pour leurs communications institutionnelles et commerciales.

Les barrières entre ces disciplines deviennent de moins en moins rigides et l'on parle plutôt maintenant de communication intégrée dans l'entreprise où l'on recherche une convergence, une cohérence et une synergie entre les différentes formes que peuvent prendre les communications. La confiance et la sympathie que veut d'une part développer l'entreprise avec ses publics ne sont plus dissociables du produit, du service ou de l'idée qu'elle veut leur voir adopter.

3. LE TRAVAIL DANS UNE AGENCE

Le travail dans une agence se différencie de celui dans une entreprise à plus d'un titre, même si les techniques utilisées sont toujours les mêmes.

Le problème d'un cabinet conseil face à une organisation, c'est la nécessité de livrer un produit fini et rentable à un client. Dans une organisation, il est plus facile d'avoir la possibilité de former quelqu'un. Dans un cabinet, à cause des impératifs du service à la clientèle, il faut que quelqu'un soit rapidement efficace. Ce qui veut dire que le volet expérience devient excessivement important.

En agence, le relationniste peut être appelé à travailler avec un seul client sur une longue période, mais habituellement il travaille pour plusieurs clients au cours d'une année. Ce qui signifie que le contenu à maîtriser varie continuellement. La firme est à la merci des contrats qu'elle reçoit.

Par ailleurs, la firme travaille continuellement sous pression parce que les clients sont continuellement pressés. Dans l'entreprise, même si à certains moments le relationniste est bousculé, il est plus en mesure de contrôler le rythme de son travail.

De plus, le relationniste d'agence doit «servir» le relationniste de l'organisation. C'est le premier qui propose, mais c'est le second qui dispose.

3.1 La structure d'une agence

La structure d'une agence est différente de celle d'une direction des communications d'une entreprise, comme le montre l'exemple 6.

Par exemple, la firme de relations publiques National, partenaire de la firme Burson-Marsteller, a organisé son bureau de Montréal autour de 9 unités :

- *les ressources humaines*, incluant le recrutement, la formation du personnel et le développement professionnel ;
- *le service interne de l'information et de la recherche*, incluant les listes de presse, les revues de presse, les analyses de presse, la recherche dans les banques de données, le site Web et intranet de la firme ;
- *le service de la formation* incluant la formation de porte-parole et la formation d'employés en entreprises ;
- *le groupe affaires publiques*, incluant les relations intergouverne-mentales et les communications environnementales ;
- *le groupe marketing-événements* incluant le lancement et le repositionnement de produits et la gestion et la planification d'événements ;
- *le groupe PharmaCom*, incluant le secteur de la santé et de l'in-dustrie pharmaceutique ;
- *le groupe technologies de l'information*, incluant les conseils aux entreprises de technologies, la création de sites Web et la com-munication interactive ;
- *le groupe communication institutionnelle*, incluant la communica-tion organisationnelle, les dons et les commandites, la gestion d'enjeux et de crise et la gestion des perceptions ;
- *le groupe communication financière et relations avec les investisseurs*, incluant les fusions et les acquisitions, les appels publics à l'épargne, les rapports financiers trimestriels et annuels et les assemblées annuelles.

Le cabinet de relations publiques Optimum, une entreprise du groupe Cossette, a une structure d'organisation qui ressemble fort à celle de National. Afin de fournir à ses clients des services à la mesure de leurs besoins particuliers, l'entreprise est divisée en groupes permanents affectés à diverses disciplines des relations publiques. Chaque groupe dispose d'un degré suffisant d'autonomie pour servir ses propres clients tout en profitant de l'expertise des autres équipes. La formule offre suffisamment de souplesse puisqu'elle permet, à même les ressources des groupes, de créer des équipes multidisciplinaires ponctuelles. Les groupes permanents s'articulent autour des compétences suivantes :

- communications financières et institutionnelles ;
- télécommunications et multimédia ;
- santé ;
- relations publiques, marketing, relations de presse et événements ;
- commandite.

Chaque groupe est dirigé par un vice-président ou un chef d'équipe et se compose de directeurs, de conseillers et d'au moins un coordonnateur.

Chapeautant les groupes, on retrouve les services communs : planification stratégique, rédaction, traduction et direction générale.

Dans les cabinets conseils, il existe un poste qu'on ne retrouve pas dans les organisations ; celui de chargé de projets. C'est en quelque sorte le conseiller chargé de faire le lien entre les demandes du client et tous les services de l'agence. C'est habituellement un généraliste qui, par sa connaissance du métier, essaie d'aller chercher les meilleures ressources à l'intérieur de l'agence pour aider à résoudre le problème ou à répondre au défi du client.

Les services de recherche des agences sont habituellement mieux articulés que ceux des directions des communications. Dans les organisations, la recherche est souvent confiée à la direction de la planification.

Certaines agences se sont spécialisées autour d'un certain contenu, comme l'univers pharmaceutique ou les activités culturelles, ou sur certains types de problèmes à régler, comme la gestion des crises, ou sur certaines techniques, comme l'écriture ou l'organisation d'événements. Et on a recours à elles pour ces éléments précis.

Exemple 6

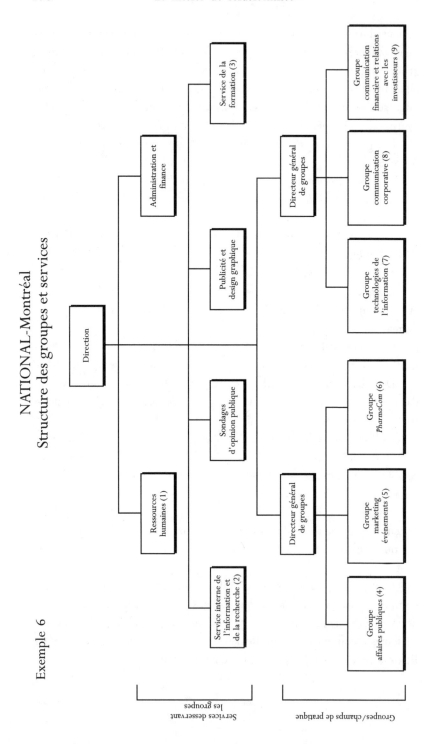

NATIONAL-Montréal
Structure des groupes et services

Direction

Ressources humaines (1)

Administration et finance

Service de la formation (3)

Service interne de l'information et de la recherche (2)

Sondages d'opinion publique

Publicité et design graphique

Directeur général de groupes

Directeur général de groupes

Groupe affaires publiques (4)

Groupe marketing événements (5)

Groupe *PharmaCom* (6)

Groupe technologies de l'information (7)

Groupe communication corporative (8)

Groupe communication financière et relations avec les investisseurs (9)

Services desservant les groupes

Groupes/champs de pratique

3.2 Les principales agences

La revue *Info Presse* publie le *Guide annuel des entreprises de services en communication* dans lequel une section est consacrée aux relations publiques. On y retrouve le nom de 25 firmes de relations publiques classées selon le nombre d'employés. Le plus important cabinet au Québec est National dont le chiffre d'affaires au Québec était de quelque 20 millions de dollars à la fin des années 1990. Il est suivi par la firme Optimum, filiale de Cossette Communication Marketing, avec un chiffre d'affaires au Québec de quelque 15 millions de dollars.

Voici la liste des 12 plus grandes firmes au Québec, selon le classement de la revue *Info Presse*. Sur le plan canadien, c'est la revue *Marketing* qui dresse le bilan des plus grandes firmes canadiennes. Ce sont, la plupart du temps, des succursales des grandes firmes américaines.

3.3 Les différents clients

Il y a des clients qui recherchent la discrétion et d'autres la visibilité. Certains traversent des crises qu'ils aimeraient taire et d'autres exigent avec ténacité que l'on parle d'eux. Le monde culturel qui a besoin des consommateurs de biens culturels pour exister est en quête perpétuelle de notoriété. Le monde des affaires préfère régler ses problèmes en toute réserve.

C'est ce qui faisait dire à Nathalie Courville, alors relationniste dans le monde du spectacle, que «les relationnistes du milieu culturel se perçoivent à part des autres. En politique et en économie, leur mandat, c'est de retenir l'information. Nous, au contraire, on veut la voir circuler au maximum. On ouvre les portes et on se sert de pont» (Baillargeon, 1993).

4. LE RELATIONNISTE PIGISTE

Compte tenu du nombre de plus en plus grand de relationnistes formés dans nos universités, les débouchés se font parfois attendre. De plus, il arrive souvent qu'après quelques années dans une agence ou une entreprise une personne ait envie de voler de ses propres ailes.

Exemple 7

RELATIONS PUBLIQUES — LES PRINCIPAUX CABINETS, CLASSÉS PAR NOMBRE D'EMPLOYÉS

RANG	NOM DE L'ENTREPRISE	CHIFFRE D'AFFAIRES 1997 PROJECTION M $ (CANADA) année fiscale	CHIFFRE D'AFFAIRES 1996 M $ (CANADA)	NOMBRE D'EMPLOYÉS (CANADA)	VILLES	PRIINCIPAUX CLIENTS
1	LE CABINET DE RELATIONS PUBLIQUES NATIONAL	**20,5** **(40,0)** déc.	**17,6** **(33,5)**	105 (225)	Montréal Québec Ottawa Toronto Calgary Vancouver	Avenor, Banque Nationale du Canada, Bell Canada, BioChem Pharma, Danone, McDonald's, Les Compagnies Molson Limitée, Merk Frosst, Sun Life du Canada, Provigo
2	OPTIMUM – RELATIONS PUBLIQUES	**14,6** **(16,9)** sept	**8,2** **(9,7)**	56 (70)	Montréal Québec Toronto Vancouver Washington, D.C.	ALcan, Bell, Bell Mobility, General Motors, Produits forestiers Alliance, Teleglobe, Janssen Pharmatica, Métro-Richelieu, Produits Laitiers du Canada, Taseko Mines
3	CONCORDIA COMMUNICATION ET AFFAIRES PUBLIQUES	n.d. août	n.d.	48	Montréal	Bombardier (Groupe de produits de consommation motorisés), Bristol Myers Squibb, Cirque du Soleil, Groupe Ro-Na Dismat, Groupe Vidéotron, Orchestre symphonique de Montréal[1]
4	LE GROUPE BDDS	5,6 sept.	4,5	42	Montréal Québec	Agropur, Assoc. canadienne des fabricants de produits pharmaceutiques, Chambre des notaires du Québec, Groupe Cogeco, Mouvement Desjardins, Pétromont, Abitibi-Consolidated, Ordre des infirmières auxiliaires, Royal Aviation, UUNET
5	GERVAIS GAGNON COVINGTON & ASSOCIÉS	n.d. (n.d.) juil.	n.d. (n.d.)	40 (65)	Montréal Québec Toronto Libreville Hanoi	Association canadienne de l'industrie du médicament, Alcan Canada, Association des armateurs canadiens, CHUM, Fonorola, Gouvernement du Canada, Groupe SSIG, Merck Frosst Canada, Société canadienne des postes, Zeneca Pharma
6	LE GROUPE EVEREST	2,7	1,5	27	Montréal Sherbrooke	AT&T Canada, Astroflex, Banque de développement du Canada,Bombardier (Seadoo, Skidoo), Bureau fédéral de développement régional-Québec, Cantel-AT&T, Groupe Cantrex, Groupe Jean Coutu, Lévesque Beaubien, Geoffrion, Ritvik
7	EDELMAN RELATIONS PUBLIQUES MONDIALES	5,8 (9,1)	4,1 (6,5)	26 (58)	Montréal Toronto	Bell Canada, Imperial Tobacco, UPS, British American Tobacco, Hudson's Bay, Banque de développement du Canada, Dupont Canada, Pulsar, Fédération des producteurs de lait du Québec, Pfizer Canada
8	MARCEL KNECHT ET ASSOCIÉS	n.d. sept.	n.d.	19	Montréal	Chateau Stores, Groupe Informatique DTM, Helix Hearing care, International Hospilaty of America, Kimpex, Mines McWatters, Mitec Telecom, Quincailleries Richelieu, Teknor ordinateurs
9	GPC COMMUNICATIONS	n.d. (n.d.)	n.d. (n.d.)	18 (50)	Montréal Toronto Calgary Ottawa Vancouver	Alcan, Allergan, Banque de développement du Canada, Iron Ore, Merck Frosst Canada, Ministère du développement des ressources humaines, Pharmacia & UpJohn
10	DUCHARME PERRON, COMMUNICATION AFFAIRES PUBLIQUES	1,9 sept.	1,5	17	Québec	Bell, La Brasserie Labatt, Mouvement Desjardins, Ultramar, Les Laboratoires Aeterna, Le Groupe Coscient
11	PYRAMIDE, RELATIONS PUBLIQUES	**1,3** déc.	**0,84**	14	Montréal	Parmalat Canada, Association des distillateurs canadiens, Compaq, Lévesque Beaubien Geoffrion, Software Publishers association, Ultramar, Ville de Verdun, Ocean Spray, Deloitte & Touche consulting group, Aventure Electronique
12	COEFFICIENCE	**1,2** mai	**1,4**	10	Montréal	Banque de développement du Canada, Banque de Montréal, Bell Québec, Brasserie Labatt, Société de transport de la Rive-Sud de Montréal, Pratt & Whitney Canada, SNC-Lavalin, Via Rail, Vidéotron

Le caractère gras indique que le chiffre d'affaires a été vérifié par un comptable.
(1) Seuls les noms des clients qui ont donné leur accord sont révélés.

Sources : Entreprises, octobre 1997

De ce fait, de nombreux relationnistes travaillent de façon autonome et ont développé une certaine expertise reconnue. Ils sont pigistes pour des agences ou des entreprises, proposant leurs services aux uns et aux autres.

Le pigiste se spécialise habituellement dans un secteur particulier. Il peut être un excellent rédacteur, un idéateur hors pair, un expert dans l'organisation d'événements par exemple et c'est à ce titre qu'il est engagé.

À l'occasion, ces pigistes se changent pendant un certain temps en relationnistes temporaires pour une entreprise qui, pour des raisons de vacances, de maladie, de maternité ou de projets spéciaux, cherche à combler un poste pour quelques semaines ou quelques mois. Elle va donc puiser d'abord à même son réseau de pigistes puisqu'elle les connaît, qu'elle a pu apprécier leur travail et que ceux-ci sont déjà familiers avec l'entreprise elle-même.

5. LES RAPPORTS AVEC LES JOURNALISTES

La relation entre journalistes et communicateurs a toujours été conflictuelle. D'une part, ils ont besoin l'un de l'autre pour travailler : un journaliste sans source est privé de son oxygène, et un relationniste sans média est privé de sa principale courroie de transmission. D'autre part, chacun considère que l'autre n'est pas à la hauteur de ses attentes ; le journaliste estime que le relationniste manipule trop l'information, et le relationniste déplore le manque de rigueur du journaliste. En fait, les deux métiers s'affrontent quotidiennement, chacun essayant d'avoir le meilleur sur l'autre.

Cette dichotomie entre les deux métiers s'explique par le fait qu'ils remplissent des tâches différentes tout en ayant à intervenir quotidiennement ensemble. «La nature des relations entre les journalistes et les communicateurs est complexe et ambiguë, écrit Jean Charron (1991). Les intérêts des deux groupes sont à la fois complémentaires et antagoniques et donnent lieu à un type particulier de relations qui se caractérisent par un mélange de coopération et de conflit.»

Les auteurs Ryan et Martinson (1988), dans un article du *Journalism Quarterly*, s'interrogent sur l'antagonisme entre les journalistes et les praticiens des relations publiques. Et entre autres raisons pour expliquer l'opposition, ils considèrent que les journalistes travaillent dans l'intérêt général et que les relationnistes défendent l'intérêt privé.

À cela, le relationniste André Sormany (1988) répond que «le véritable problème, c'est que les journalistes pensent que ce sont des intérêts qui s'opposent nécessairement, alors que nous, relationnistes, croyons que ce sont des intérêts qui peuvent converger». En effet, si les préoccupations des entreprises et des organisations ne servent pas bien le public, elles seront vite délaissées. Tout comme le journaliste qui ne sert pas bien son public et surtout son entreprise privée se verra délaissé par le premier et délesté par le second.

La place de plus en plus grande qu'occupent les communicateurs dans le monde de l'information inquiète les journalistes pour qui les relationnistes-conseils, les communiqués de presse et les conférences de presse sont les sources les moins *aimées* (Impact Recherche, 1988). Et, pourtant, ce sont les sources les plus *utilisées*. Tremblay (1988), dans l'étude qu'il a réalisée sur le discours de promotion, conclut que «l'agent d'information ou le relationniste se veut désormais une source de renseignements indispensable pour le journaliste».

Florian Sauvageau (1988) apporte une nuance à ce débat : «Il faut se demander si certains relationnistes ou communicateurs, les agents d'information dans certains organismes humanitaires, voire dans certains ministères par exemple, ne sont pas beaucoup plus près de l'intérêt public qu'un certain nombre de prétendus journalistes... qui encombrent nos antennes».

5.1 La mise en valeur du relationniste

Alors que les relationnistes ont pour tâche avouée de mettre en valeur les dimensions positives de l'organisation pour laquelle ils travaillent, aux yeux des journalistes, ils donnent l'impression d'être des manipulateurs. Que faire pour échapper à cette image, alors que 90 % des informations que le relationniste diffuse sont factuelles, vérifiables et non contestables ? Lorsqu'un relationniste annonce l'ouverture d'une usine, la tenue d'un spectacle, l'entente d'un accord, il va certes les présenter pour que son entreprise en retire des avantages positifs, mais sa marge de manipulation est extrêmement réduite. Il ne va certainement pas annoncer un spectacle qui n'aura pas lieu.

Lorsque les informations à diffuser sont plus délicates pour le développement d'une entreprise, comme l'état des négociations avec les employés par exemple, l'entreprise a le droit de présenter sa vision des faits, tout comme le fait le syndicat. Mais l'entreprise a en quelque sorte un devoir de réserve et de discrétion face à ses actionnaires, surtout si certaines données ou certains faits, une fois rendus publics, peuvent nuire à la négociation.

Lors de la tempête de verglas au Québec en 1998, Hydro-Québec a décidé de ne pas dévoiler au public que le niveau d'eau potable à Montréal était dans un état critique. La société d'État craignait que les citoyens se fassent des réserves et précipitent la pénurie si elle diffusait l'information.

On peut comprendre que le journaliste veut tout savoir, mais est-il bon de tout dire? Certes, les journalistes se plaignent de ne pas avoir de réponse à toutes les questions qu'ils posent. Dans une étude réalisée par Beuve-Méry (1980), alors directeur du *Monde*, pour la commission MacBride, ce dernier cite Katherine Graham, éditrice du *Washington Post* et Françoise Giroud, rédactrice en chef de *L'Express* qui affirment toutes deux que si un journaliste se demande s'il doit publier ou non une nouvelle, il est temps qu'il cesse d'être journaliste. Or, si les journalistes estiment qu'ils n'ont pas à assumer les conséquences de ce qu'ils dévoilent, il n'en est pas ainsi pour les entreprises.

Il existe en relations publiques des exemples de mensonges inacceptables, de manipulations odieuses, de diffusions de fausses vérités. Ce sont les erreurs du métier, tout comme on retrouve des journalistes qui font de fausses entrevues. Mais on ne peut se baser sur ces cas inacceptables pour généraliser le comportement d'une profession.

Par ailleurs, il y a des acteurs publics qui mentent sans que les relationnistes n'y soient pour quelque chose. À l'aube de l'an 2000, le premier ministre du Canada, qui avait promis d'abolir la TPS, affirme n'avoir jamais dit ça. Le président américain nie avoir eu des relations sexuelles avec une stagiaire. Les présidents d'entreprises affirment qu'ils se préoccupent d'environnement alors qu'en même temps leurs entreprises déversent des quantités illégales de produits toxiques dans les cours d'eau. Le mensonge est une donnée sociale. Affirmer que ce sont les conseillers en communication qui leur suggèrent de tels comportements, c'est renforcer un préjugé négatif de façon tout à fait gratuite. Combien de relationnistes ont payé de leur crédibilité, donc de leur pouvoir, auprès de leurs supérieurs pour avoir tenté de les persuader d'avoir plus de transparence et moins de demi-vérités ?

C'est que l'image publique de la profession, présentée dans les médias, ne tient pas compte de la réalité du métier de relationniste. Sans vouloir excuser les dérapages qui peuvent se glisser, les entreprises et les organisations vivent très souvent sur la défensive et doivent évoluer dans un environnement hostile créé par les compétiteurs, les groupes de pression, les médias et les adversaires qui ont tous des intérêts à défendre aussi. Or, dans tous ces cas, ceux qui partagent les vues de l'organisation ou de l'entreprise sont plus réservés sur la place publique que ceux qui s'y opposent. Et ceux qui s'y opposent le font avec acharnement, car ils défendent des valeurs ou des intérêts bien sentis. Or, les entreprises ont le droit de vivre, de faire des profits, de se composer une image et de se battre.

Pour relever ces défis, les relationnistes possèdent un atout sur les journalistes, ils peuvent moduler le message en fonction du média à rejoindre. Un journaliste de la presse écrite, de la radio ou de la télévision ne peut que traduire dans son propre média l'information qui lui est acheminée. À la radio, il y a des situations qui sont difficiles à illustrer. À la télévision, le journaliste dispose de moins d'espace/temps pour analyser un problème que celui de la presse écrite. De l'autre côté, Laplante (1988) signale que «les relationnistes intelligents et compétents... sont en mesure de jouer de l'orchestre complet, quel message va mieux passer à la radio, j'utilise la radio, il passerait mieux à la télé, je recours à la télé. Il y a un usage multimédia qui est à la portée des relationnistes et qui n'est pas à la portée des journalistes qui sont à l'emploi, non seulement d'un patron, mais d'une technique particulière de transmission de l'information».

Certains journalistes, par ailleurs, apprécient le travail des relationnistes et reconnaissent la qualité ou l'intérêt des informations qui leur sont proposées. « Plusieurs associations touristiques ne connaissent pas le rôle qu'elles doivent jouer, dit Martial Dassylva, journaliste en tourisme à *La Presse*. Les gens de Charlevoix imaginent sans cesse de nouveaux sujets de reportages, de nouvelles formules de voyage. Leurs auberges, je les ai vu 23 fois! Pourtant, l'hiver dernier, on m'a attiré avec les caribous du parc des Grands-Jardins » (Samson, 1994). Ce qui témoigne de la nécessité d'avoir recours à des spécialistes de la communication qui savent mettre en valeur leur entreprise.

Mais cette façon de faire n'est pas nécessairement appréciée par tous. Stéphane Baillargeon (1993) écrivait dans *Le Devoir* que, pour le journaliste, souvent « le relationniste est un harceleur de première classe, un manipulateur retord et filou, toujours prêt à mettre les bâtons dans les roues de sa belle machine à diffuser l'information ».

5.2 La mise en scène du journaliste

Adlai Stevenson disait : « Le rôle du journaliste, c'est de séparer le bon grain de l'ivraie et de publier l'ivraie ». En fait, le journaliste ne crée pas la nouvelle habituellement, il la met en scène, la hiérarchise, la présente et la critique.

C'est lui qui décide de la nouvelle qui paraîtra en première page, de la photo qui accompagnera cette nouvelle. C'est lui qui organise le montage des reportages qui passent à la radio ou la télévision.

Pour augmenter les cotes d'écoute et les tirages, les médias n'hésiteront pas à jouer très fort les informations qui se vendent bien. Celles-ci ne sont plus évaluées seulement à partir de leur signification profonde, mais aussi en fonction de leur valeur marchande. D'où la nécessaire mise en scène de l'information.

À la fin des années 1990, Radio-Canada présentait une émission ayant pour thème « Les journalistes condamnés par la justice ». On y faisait état de deux histoires de cas. D'abord, il y eut celui du journaliste allemand qui avait monté des reportages de toutes pièces et qui les avait vendus aux grandes chaînes de télévision. Pour sa défense, le journaliste alléguait que le thème de ses reportages était exact, mais que, pour la télévision, il lui fallait absolument des images. Comme il n'en avait pas, il les a inventées.

Le deuxième cas concernait l'utilisation de la caméra invisible et la condamnation du réseau ABC pour pratique trompeuse. Il s'agissait d'un reportage sur les façons de faire de la chaîne d'alimentation Food Lion. Pour se disculper, encore une fois, la chaîne allégua que les faits étaient véridiques, mais que c'était la façon de les cueillir qui était contestée. Or, la raison de la condamnation n'était pas le fait d'utiliser la caméra invisible, mais d'avoir laissé faire des gestes répréhensibles, alors que les journalistes s'étaient fait engager comme inspecteurs.

Dans les deux cas, les médias étaient accusés de manipuler l'information, au profit de la mise en scène qui leur était imposée par les exigences de leur métier. Il fallait des images : le premier les a inventées, les seconds les ont volées.

Une série de remarques s'imposent à la suite de ce fait :

– La première, c'est qu'il s'agit certes là de cas d'exception. Mais ils laissent entrevoir le fait suivant : tous ceux qui touchent à l'information peuvent la manipuler. LE RELATIONNISTE choisit les informations favorables à son organisation. Il est d'ailleurs payé pour ça. Il orchestre donc l'information à l'avantage de son employeur.

LE JOURNALISTE choisit les informations favorables à son organisation et celle-ci poursuit un double but : d'abord faire de l'argent, car ce sont des entreprises commerciales. Ensuite, satisfaire le droit du public à l'information. C'est un idéal au nom duquel on ne choisit que les informations qui sont objet de controverses.

– La deuxième remarque, c'est que le spectacle et la mise en scène que requièrent les journalistes obligent les organisations et les entreprises à convertir en spectacle et à mettre en scène leurs préoccupations, car c'est la seule façon d'attirer l'attention des médias. On peut presque dire, à ce chapitre, que les relationnistes sont davantage victimes que coupables des pratiques journalistiques.

— La troisième remarque concerne la façon dont l'*ombudsman* de Radio-Canada a voulu excuser les comportements des journalistes, pourtant déclarés coupables par une cour de justice, dans l'affaire de Lion Food. Il a laissé glisser ce commentaire : « Lorsque l'on sait que ces compagnies se paient des relationnistes pour nous cacher la vérité, n'est-il pas normal que nous essayons de la découvrir par tous les moyens possibles ? » Le mot était lancé : si le journaliste triche avec la réalité, c'est la faute des relationnistes. Pour paraphraser Jacques Decornoy, nous pourrions dire : « Péril journalistique, peur relationniste ».

5.3 Une méfiance mutuelle

Florian Sauvageau (1988) résumait ainsi le rapport entre ces deux métiers : « Le journaliste, s'il a besoin de l'information, craint d'être manipulé. Le relationniste, s'il a besoin du journaliste, craint constamment que la nouvelle sorte avec de la "distorsion". Si les deux métiers doivent vivre ensemble, ils ne forment pas nécessairement bon ménage ».

Claude Masson (1988) rappelait toutefois que « le journaliste responsable, professionnel, consciencieux, sécurisé dans son métier ne craindra pas l'influence abusive, indue, des relationnistes. Sommes-nous si faibles pour nous laisser manipuler ? Plutôt que de la subir, le journaliste qui se sent solide dans ses souliers contrôlera l'influence des relationnistes ».

Et il poursuivait : « Plutôt que de tenter de blâmer les autres intervenants qui nous empêcheraient de bien faire notre travail, il faudrait se demander si nous ne sommes pas trop à la recherche d'alibis pour éviter de se regarder dans le miroir ».

Pour le journaliste, le relationniste est devenu trop envahissant : « Nous sommes de plus en plus encadrés de l'extérieur, écrit le journaliste Millette (1988). On nous impose de plus en plus d'intermédiaires qui nous éloignent de notre matière première. [...] On grignote notre métier. On se fait envahir, remplacer, noyauter, museler [...]. On nous décrit comme des courroies de transmission. On fait partie des plans de communication. On est utilisé comme éléments de stratégie. »

Et un ancien rédacteur en chef de *La Presse*, Gérard Pelletier (1988), répondait à ce constat : « S'il arrive que le travail des relationnistes tienne une place démesurée dans notre presse et nos médias, ce n'est pas à eux qu'il faut s'en prendre, ils font un métier honorable, mais peut-être aux journalistes qui ne font pas toujours le leur avec le souci d'indépendance qui devrait les inspirer ».

Laurent Laplante (1988) affirme que le travail du journaliste « est téléguidé jusqu'à un certain point par le travail des relationnistes. S'il fallait que demain matin, Telbec n'entre plus dans les salles de rédaction avec toutes les invitations qui viennent de partout, j'ai l'impression qu'il y aurait des heures et des journalistes qui seraient totalement perdus [...]. On serait complètement aveugle ou sourd, si on n'admettait pas qu'une bonne partie du travail des journalistes est mis en branle, est déclenché et jusqu'à un certain point est téléguidé par les messages que nous adressent les relationnistes ».

Le journaliste sportif Pierre Jury (1988) et le journaliste généraliste Sj Ross (1997), de leur côté, insistent pour dire que, sans les relationnistes, une partie de leur travail s'en trouverait paralysée. Le premier, par exemple, déplore que les organisations sportives amateurs ne l'alimentent pas suffisamment en information pour qu'il leur donne l'attention qu'elles revendiquent. Le second a écrit un long réquisitoire pour condamner les entreprises dont les relationnistes sont plutôt discrets et réservés et qui, de ce fait, ne les inondent pas d'informations et de produits de toute nature dont il aurait besoin dans son travail.

Sormany (1988) ajoute qu'une « très large part de la tension ou de la méfiance qui existe de façon plus ou moins ouverte entre journalistes et relationnistes vient du fait que vous [les journalistes] avez l'impression que nous [les relationnistes] avons envahi votre territoire [...]. On dit souvent que le quatrième pouvoir, c'est l'information. Et sur le vaste territoire de l'information, il n'y a pas seulement les journalistes. Qu'on le veuille ou non, nous y sommes et comme vous, pour y rester. »

Gaston L'Heureux (1988) estime, de son côté, que le relationniste et le journaliste pratiquent tous deux le même métier, celui de communicateur, et qu'à ce titre ils sont tenus de respecter un même code d'éthique, celui de la vérité avec les risques et les droits à l'erreur. Il poursuit que «nos rapports ressemblent à ceux d'un vieux couple qui n'en finit plus de vivre ensemble. Les défauts croissent en même temps que la sagesse. Les différents persistent, les querelles font encore plus ou moins mal, selon les situations ou les arguments. Est-ce que nous serions déjà victimes de l'habitude? Trop vieux pour divorcer et impuissants à trouver d'autres solutions, nous sommes condamnés à nous endurer».

Le relationniste Albert Tremblay (1988) s'interroge sur le fossé qui sépare les deux professions. «Pourquoi parler aujourd'hui "d'encerclement des salles de presse", de "promiscuité dangereuse" et de "manipulation de l'information", quand il est tout simplement question de résumer le genre de relations qui existent, ou devraient exister, entre journalistes et conseillers en relations publiques? [...] Les relations publiques ne menacent ni la liberté de presse ni le droit sacré qu'a le public d'être correctement informé. Elles ne sont qu'un outil additionnel mis à la disposition des journalistes. La qualité du produit de communication qui résulte des interventions des conseillers en relations publiques dépend surtout du bon usage qu'on en fait.»

Les journalistes restent toutefois convaincus que l'information qu'ils reçoivent de certaines sources est orientée ou sujette à caution. Dans un sondage réalisé auprès de journalistes et de communicateurs gouvernementaux (Lesage, 1993), les deux tiers (69 %) des journalistes interrogés sont de cet avis et 77,5 % croient que cette information est rarement objective. De plus, la presque majorité (93 %) des journalistes interrogés croient que les informateurs gouvernementaux sont méfiants envers eux.

6. LES ASSOCIATIONS PROFESSIONNELLES

Il existe quelques associations professionnelles de relationnistes vouées à la défense de la profession. La Société des relationnistes du Québec (SRQ) regroupe plusieurs centaines de praticiens, mais l'adhésion est facultative et seulement 10 % des relationnistes en sont membres. Il s'agit toutefois de la plus importante organisation professionnelle de relationnistes au Québec.

La SRQ est affiliée à la Société canadienne des relations publiques (SCRP). À l'instar de la Public Relations Society of America (PRSA), avec laquelle la SCRP entretient des échanges continus, les deux sociétés se retrouvent dans l'International Public Relations Association (IPRA) qui regroupe tous les relationnistes du monde.

La SRQ a mis sur pied un concours pour les étudiants des programmes de communication et de relations publiques. Le prix Dumont-Frénette est accordé chaque année au meilleur plan de communication réalisé par un ou des étudiants.

La profession honore également le succès des réalisations de ses membres avec les prix Équinoxes et son Grand Prix des relations publiques. La SRQ publie un bulletin, *Le Cordonnier chaussé*, et une revue, *Publics*.

Une autre association active au Québec se nomme l'Association internationale des professionels de la communication. Elle est une section de l'International Association of Business Communicators. Présente dans 45 pays, elle poursuit, sur une plus grande échelle, les mêmes préoccupations que celles de la Société des relations publiques du Québec, soit la formation, un service d'accès aux offres d'emplois, l'abonnement à un bulletin, *Communiqué*, et à une revue, *Communication World* et la reconnaissance de l'excellence en relations publiques par ses concours Plume d'or (international), Feuille d'argent (national) et Ovation (provincial).

Quoique les deux associations offrent à peu près les mêmes activités, on peut dire que la SRQ est orientée davantage vers la communication institutionnelle et l'AIPC vers la communication d'affaires-marketing. La première se veut manifestement québécoise, l'autre est internationale.

D'autres associations professionnelles sectorielles, comme l'Association des communicateurs municipaux, le Forum des directeurs et directrices du gouvernement du Québec, le Conseil des communicateurs fédéraux du Québec, l'Association de la recherche en communication, sont d'abord et avant tout des forums d'échange, mais aussi de défense des intérêts du groupe.

7. L'ÉTHIQUE

Les relationnistes n'échappent pas à la remise en question dont souffrent toutes les professions. La société s'interroge sur la moralité des personnalités politiques, sur la conscience sociale des entreprises financières, sur la qualité des biens de consommation, sur l'expertise véritable que donnent les professionnels. Souvent interpellé parce qu'il maquille la réalité, soupçonné de manipulateur par les journalistes, le métier des relations publiques est parfois devenu synonyme de façade artificielle sans fond.

Ce ne sont pas tant les malversations dont auraient pu se rendre coupables les relationnistes qui sont en cause, mais une crise de crédibilité sur la place publique.

De plus, comme intermédiaire important dans la définition des grands enjeux de la société, le relationniste ne peut rester indifférent aux grands défis de cette fin de millénaire.

Toutes ces raisons amènent les associations de relationnistes à s'interroger sur les responsabilités qui incombent à leurs membres dans cette conjoncture. Elles ont donc toutes adopté un code d'éthique qui sert de guide aux différentes actions que sera appelé à réaliser tout relationniste.

7.1 Une définition

Lorsque l'on parle d'éthique, un certain nombre de notions nous viennent à l'esprit, soit celles de valeur, de devoir, de morale et de déontologie.

Une valeur est ce en quoi une personne croit: l'amour, la justice, l'équité, la fidélité, mais aussi la richesse, la beauté, la force et même la violence.

La morale touche à ce qui est bien ou mal. Si la fidélité est une valeur positive dans la morale chrétienne, elle n'a plus la même signification dans la morale islamique où il est permis d'avoir plus d'une femme.

Un groupe peut valoriser la violence qui moralement peut être condamnable.

L'éthique est une démarche qui réfléchit et analyse la conduite humaine. Quels sont les *principes* à respecter pour avoir une conduite irréprochable? Voler est un geste illégal et immoral, ce n'est pas bien. Emprunter de l'argent à un ami est une conduite tout à fait acceptable pour le commun des mortels, mais elle est très délicate pour une personnalité politique qui sera peut-être obligée de rendre quelques petits services en échange... L'éthique traite de ce qui est acceptable comme conduite. Un code d'éthique pourra énoncer, par exemple, que personne ne devra se mettre en conflit d'intérêts.

La déontologie impose des devoirs. Un code de déontologie propose des règles strictes à suivre. Dans le cas précédent, le code de déontologie pourra édicter qu'il est interdit d'emprunter de l'argent à d'autres personnes.

La Société des relationnistes du Québec a édicté un code de déontologie qui s'inspire des codes promulgués par les organisations auxquelles elle est affiliée. Ce code est présenté ci-contre.

7.2 Les cas de conscience

Le code d'éthique des relationnistes est clair et il semble même évident. Au-delà des différends entre relationnistes et journalistes découlant de leurs rôles distinctifs, il existe des situations plus complexes auxquelles doit faire face le relationniste.

Le président d'une des grandes firmes internationales de relations publiques, Edelman Public Relations Worldwide, proposait quelques pistes pour que les relationnistes conservent leur image d'intégrité:
- Éviter les clients douteux;
- Ne pas défendre ceux qui ne le méritent pas;
- Ne pas travailler pour des organisations qui, se cachant derrière la défense de nobles causes, ne sont que les faire-valoir d'entreprises au dessein contraire;

Exemple 8

Le code de déontologie

Tous les **membres** s'engagent à appuyer l'esprit et les idéaux sous-jacents aux principes de conduite énoncés ci-dessous et à les juger essentiels à l'exercice des relations publiques:

a) le **membre**, dans l'exercice des relations publiques, favorisera d'abord l'intérêt public et ne fera rien qui puisse être nuisible à l'exercice des relations publiques, à la collectivité ou à la société, et n'induira personne à le faire.

b) le **membre** se conformera aux normes les plus strictes d'honnêteté, d'exactitude et de véracité et ne diffusera pas sciemment d'information fausse ou trompeuse.

c) le **membre** protégera les confidences de ses clients ou employeurs actuels, antérieurs ou éventuels.

d) le **membre** ne représentera pas des intérêts en conflit ou en concurrence les uns avec les autres sans le consentement explicite des intéressés, accordé après divulgation totale des faits.

e) le **membre** ne fera rien qui ait pour objet de corrompre l'intégrité des moyens de communication publique.

f) le **membre** se conformera aux normes les plus strictes de la déontologie et de la pratique en sollicitant des clients et ne sollicitera pas sciemment les clients d'un autre **membre**, sauf sur invitation spécifique dudit client.

g) le **membre** appuiera le présent code, collaborera avec les autres **membres** à cette fin et mettra en vigueur les décisions relatives à toute question découlant de son application. Si un **membre** a lieu de croire qu'un autre **membre** est impliqué dans des pratiques injustes ou contraires à la déontologie, y compris des pratiques enfreignant le présent code, il en informera les responsables de la Société afin que ceux-ci prennent les dispositions prévues aux présents règlements.

Source : Société des relationnistes du Québec inc.

- Ne pas «acheter» ses clients éventuels en proposant un certain retour d'argent en récompense pour un contrat obtenu;
- Ne pas considérer le profit et l'avancement comme étant les seuls critères d'acceptation de mandat.

8. LES DÉBOUCHÉS

Le métier de relations publiques est en pleine expansion et il y a une forte demande pour de jeunes diplômés ayant un peu d'expérience, une forte personnalité et un bon sens des communications. Si, d'un côté, une direction des communications diminue son effectif, de l'autre, elle a recours à des pigistes ou des agences conseils pour réaliser les tâches qu'elle ne peut évacuer. Dans toutes les conjonctures, il y a beaucoup de place pour de nouveaux partenaires. Au rythme où les jeunes diplômés se trouvent des emplois, il faut reconnaître que les relations publiques traversent une période d'abondance.

Une étude réalisée par le ministère du Développement des ressources humaines du Canada (1997) a établi que les relations publiques étaient l'un des secteurs les plus prometteurs en ce qui a trait à la création d'emploi au cours des prochaines années. Cette étude, qui, il est vrai, amalgame relations publiques, rédaction et traduction, estime qu'il s'agit du deuxième secteur d'activité en forte croissance au pays.

Si le métier se développe, ceci ne veut pas dire que tous ceux qui se forment en relations publiques ou qui veulent accéder à cette profession trouvent facilement un emploi. Et il y a quelques explications bien simples.

D'abord, il y a trop de jeunes formés en relations publiques pour ce que le marché peut accueillir. L'absence de contingentement dans certains programmes permet de former des étudiants qui ne sont pas faits pour ce métier. Ce sont les premières victimes de la sélection.

Ensuite, peu de jeunes diplômés ont cru nécessaire d'acquérir un peu d'expérience pendant leurs études. Ces étudiants n'ont pas voulu investir du temps et de l'énergie en offrant leurs services de façon bénévole aux diverses organisations à but non lucratif. Tous ceux qui ont voulu acquérir un peu d'expérience pendant leurs études ont pu le faire.

À l'Université Laval, l'agence étudiante Préambule communication a été l'occasion pour plusieurs de se former sur le tas.

Par ailleurs, une des qualités essentielles recherchées par les employeurs est la capacité d'écrire parfaitement en français. Les relations publiques s'expriment continuellement par l'écriture. Cette exigence ferme la porte à plusieurs jeunes relationnistes.

Si on y ajoute la nécessité d'avoir une curiosité intellectuelle et une rigueur certaine, on vient d'éliminer du marché d'autres candidatures.

Ceux qui possèdent toutes ces qualités doivent maintenant se battre pour affirmer leur personnalité. Car, si le marché se développe, la compétition reste féroce entre les candidatures. Le métier peut donc miser sur les meilleures ressources pour poursuivre son développement.

5

L'IMAGE DU RELATIONNISTE

Si les relationnistes sont d'excellents stratèges pour construire et maintenir l'image des entreprises avec lesquelles ils travaillent, si celles-ci en retirent bénéfices et satisfaction, aux yeux d'une partie de la population, ce côté faiseur d'images laisse une vague impression d'artifices. La caricature de la page suivante en témoigne. Et il n'est pas rare de voir qualifier de simple geste de relations publiques des actions de certaines personnalités, signifiant ainsi qu'il ne s'agit là que d'une façade sans fond.

Malgré la nécessité et l'efficacité de ce métier qui n'est plus à démontrer, il lui colle au dos un certain nombre d'images, pas toujours flatteuses ni exactes, certaines caricaturales, d'autres réelles. Ces images persistent encore dans la tête de plusieurs, tout particulièrement chez ceux qui n'aiment pas les relationnistes.

Contrairement à certaines autres professions, les relationnistes n'ont jamais été très vigilants à défendre l'image de leur métier. Et ils ont souvent préféré la réserve que l'attaque, d'autant plus que plusieurs critiques viennent du monde du journalisme avec lequel ils essaient d'éviter tout irritant additionnel, leur seule existence en étant une à maints égards pour les journalistes.

Nous allons ici faire état d'un certain nombre d'images qui circulent en essayant d'en expliquer la provenance et d'en justifier l'existence.

Exemple 9

Les unes sont descriptives, d'autres positives et, certes, certaines sont négatives. L'image des relations publiques traduit bien les grandeurs et misères de ce métier.

1. LA NOTION D'IMAGE

L'image d'une personne, d'une entreprise, d'un métier est d'abord une représentation et se compose de multiples façons.

◆ La personnalité

D'abord, la personnalité même d'un être traduit ou trahit sa réalité. L'entreprise a un caractère original, une culture particulière, des comportements bien définis. L'organisation défend des valeurs et des principes. La personne projette son caractère. La nature même des entreprises, des organisations et des personnes témoigne de leur identité.

◆ L'image projetée

Toute organisation, au-delà de sa personnalité, se forge une image, celle qu'elle souhaite voir circuler. Si elle veut se donner l'image d'une entreprise responsable, elle fera savoir qu'elle se préoccupe d'environnement, qu'elle essaie de ne pas polluer. Cette image projetée est *construite* de toutes pièces. Si une entreprise décide de donner d'elle-même un statut haut de gamme, elle se donnera les apparences extérieures d'un tel statut, construira sa publicité à cet effet et pensera à poser des gestes en conformité avec cette image.

Il faut toutefois savoir que, si cette image projetée est trop éloignée de la personnalité réelle de l'entreprise ou de l'organisation, il y aura inévitablement une cassure. Ou l'image sera bafouée et l'entreprise en retirera des effets négatifs, ou l'entreprise devra orienter son comportement en fonction de l'image qu'elle veut donner d'elle-même et sera respectée.

◆ L'image perçue

Projeter une image est une chose, être perçue à la hauteur de cette image en est une autre. On entend souvent dire de quelqu'un : «Si tu le connaissais, tu aurais une autre image de lui». Ce qui veut dire que l'image reçue n'est pas conforme à l'image réelle ou projetée.

Ce n'est pas tout de construire son image, encore faut-il qu'elle soit acceptée comme telle par ses interlocuteurs.

◆ L'image réponse

L'image est aussi composée par l'entreprise ou l'organisation en fonction de l'image perçue. Les personnalités politiques font des sondages pour savoir ce que les gens pensent d'elles et modifient leur image et leur comportement en fonction de ces informations. Si le public croit qu'un politicien n'inspire pas confiance, il se fera conseiller pour en connaître les raisons et modifiera son comportement pour enrayer cette perception négative.

Ainsi, lorsque l'on aborde la question de l'image des relationnistes, de quelle image voulons-nous parler? Tixier-Guichard et Chaize (1994, p. 28), dans un texte intitulé «La communication contre l'information», critiquent ainsi l'image projetée de l'entreprise : «La communication de l'image de l'entreprise pourrait être gérée selon deux conceptions différentes. "Corporate", elle tendrait à se détacher des produits vendus pour affirmer les propres valeurs de l'entreprise en tant que forme d'organisation sociale élaborée. "Institutionnelle", elle se détacherait aussi des produits pour mettre en valeur les missions culturelles et sociales de l'entreprise dans la cité. Dans le premier cas, fière et conquérante, l'entreprise s'affirme comme "société-modèle" ou "modèle de société», dans le second, modeste et le faisant savoir, comme "citoyen-modèle"».

2. LES IMAGES PROPOSÉES

Idéalement, le relationniste voudrait bien être investi de quelques images qui le définissent dans toute sa splendeur.

2.1 Le dieu Hermès

L'image par excellence du relationniste pourrait être celle du dieu Hermès. Fils de Zeus et de Maïa, il est le messager et l'interprète des dieux. De ce fait, il anime les relations et les rapports entre les dieux et les hommes, ce qui le consacre dieu de la parole et de l'éloquence. Hermès est assimilé au dieu romain Mercure. En sa qualité de messager céleste, il était le patron de tous ceux qui remplissaient des fonctions analogues sur la terre, comme les hérauts et les ambassadeurs. Mais, en même temps, les poètes (ici on pourrait dire les journalistes) en avaient fait aussi le patron du mensonge. Les deux facettes du dieu correspondent à peu près à l'image rêvée par les relationnistes et celle décriée par les médias.

2.2 L'ambassadeur

La notion d'ambassadeur pour désigner les relationnistes revient régulièrement dans la documentation (Gryspeerdt, 1994). Ambassadeur de son entreprise auprès du public, et ambassadeur du public auprès de l'entreprise, le relationniste a le rôle délicat de l'intermédiaire qui doit s'assurer que l'harmonie règne entre les deux parties. Tantôt il doit convaincre les uns de situations désagréables, tantôt il doit convaincre les autres du mécontentement qui gronde. Avec l'art de la diplomatie et des règles de politesse, ces divergences doivent s'exprimer dans la compréhension mutuelle. À titre d'ambassadeur, il doit pouvoir dire les choses sans choquer ni blesser, mais avec fermeté et conviction. Cette tâche demande une grande souplesse.

«Le rôle d'ambassadeur est aussi celui qui est le plus délicat puisqu'il s'apparente à celui d'agent de liaison, de conciliateur. Il est intermédiaire et la qualité propre d'un intermédiaire en communication c'est de ne pas déformer le message, c'est d'assurer la qualité de la communication entre deux émetteurs récepteurs.»

«À la frontière du monde intérieur et du monde extérieur, le relationniste doit faire de constants aller-retour en prenant soin, à chaque voyage, de mettre l'information en forme, de la livrer, de prendre note de la perception et de repartir avec cette perception qui devient à son tour information», précise la journaliste Suzanne Lalande (1988).

2.3 L'interprète

Si l'ambassadeur a pour mandat de réduire l'écart qui sépare deux parties, d'essayer de lever les barrières qui opposent deux points de vue, l'interprète doit traduire, avec le moins de déformation possible, la vision des choses des différents partenaires.

◆ Interprète du public

Selon Michel Dumas, président du conseil d'administration du groupe BDDS, le concept de responsabilité sociale traduit la volonté des entreprises sinon, dans certains cas, l'obligation à laquelle elles se résignent, de s'administrer de plus en plus en fonction des réels besoins de la société et des gens qui s'expriment à travers l'opinion publique. De ce fait, les relationnistes sont devenus les véritables interprètes de l'opinion publique auprès des entreprises. Ils traduisent les besoins de ce même public auprès de l'entreprise. Ils doivent également savoir ce que l'entreprise veut offrir à la société pour l'adapter, voire le modifier. Il est la première interface entre l'humeur de la population et l'entreprise, c'est à lui de prendre son pouls et de diagnostiquer la signification des battements.

Les relations publiques ne peuvent donc plus être perçues uniquement comme un processus de diffusion. Elles doivent être vues comme une activité de communication à deux directions, où il est aussi important de faire connaître aux consommateurs le produit de l'entreprise que de savoir percevoir les réactions, les désirs et les besoins des consommateurs et de les porter à l'attention des autorités. Il faut savoir être les interprètes du public.

◆ Interprète des événements

Les entreprises ont besoin des relations publiques pour faire une lecture attentive des événements, afin de bien se situer dans leur environnement. La réalité sociopolitique est en continuelle mouvance. La portée de certaines actions est parfois plus lourde et plus complexe qu'on ne l'aurait cru au premier abord. Comment interpréter les réactions du public à certains événements ? Après la mort de la princesse Diana, quelques entreprises ont décidé de se dissocier de la série télévisée *Paparazzi* de peur de choquer leurs publics. L'entreprise a besoin d'y voir clair et vite. Les relations publiques viennent à sa rescousse en exerçant cette fonction d'interprète et de traducteur des événements.

◆ Interprète de l'entreprise

Pour un public diversifié, le relationniste doit être en mesure de simplifier et de vulgariser les grands défis de l'entreprise. Il doit pouvoir traduire de façon simple et compréhensible les grands débats de son organisation. Il doit pouvoir expliquer, décortiquer et animer les messages qu'il diffuse. Plus les messages à transmettre sont complexes, plus il sera nécessaire d'avoir recours à une traduction et une clarification.

Ce rôle d'interprète et de traducteur fait appel à la connaissance des moyens de communication et au moyen par excellence : le langage. Pour que des messages circulent, il faut un code : il importe de réaliser la transcription et la traduction entre le langage technique et le langage de tous, entre l'expression propre à un secteur industriel et l'entendement d'une tranche de l'opinion. Il suppose également la capacité d'extraire l'essentiel du flot d'informations, d'opinions, de jugements de valeur que les institutions en présence émettent constamment.

◆ Interprète entre les parties

Enfin, le relationniste est agent de liaison entre l'entreprise et les publics. Les communications se font dans les deux sens. C'est d'ailleurs la différence fondamentale qui existe entre le relationniste et les autres professionnels de la communication.

Pour le relationniste André Villeneuve, « [...] toute action de relations publiques est, en quelque sorte, une stratégie de conciliation, d'ajustements de points de vue entre une entreprise et son milieu. Cette stratégie [permet] aux professionnels de jouer leur rôle d'interprète entre les parties, mais aussi et surtout de mettre en contact ces mêmes parties ».

« Nous sommes des intermédiaires entre la haute direction, ses employés et sa clientèle externe, explique Robert Racine, alors vice-président de la Société des relationnistes du Québec et vice-président aux affaires publiques du Groupe La Laurentienne, c'est une communication bidirectionnelle et il faut que, d'un côté comme de l'autre, on soit à l'écoute.»

Le rôle des experts en relations publiques, c'est d'être capable d'exercer cette fonction entre les émetteurs et les récepteurs, de faire en sorte que le message soit compris, qu'il passe.

On peut considérer le relationniste comme un médiateur ou plutôt comme un conciliateur. En établissant le contact entre l'entreprise, les employés et le public, il facilite la circulation des informations entre les parties.

Le communicateur est un coordonnateur capable de percevoir les liens entre les composantes d'une entreprise ou d'un organisme, qu'il s'agisse de composantes internes ou externes. Son rôle est de favoriser les échanges par l'emploi de moyens appropriés.

2.4 La générosité

C'est souvent la personne en charge des communications ou des affaires publiques d'une entreprise qui est responsable des commandites des événements, des achats de tableaux, des dons aux organismes à but non lucratif et à des fondations à vocation de recherche.

Le relationniste devient mécène et généreux. Il redistribue la richesse de son entreprise à des activités qui témoignent de la dynamique culturelle d'une société, des préoccupations sociales les plus nobles, des défis de l'esprit les plus étendus. C'est grâce à de telles initiatives privées que les grands musées se développent, que les grandes causes sociales et humanitaires sont soutenues, que les découvertes médicales et scientifiques permettent le progrès de l'humanité.

2.5 Le redresseur de torts

S'il est vrai que les relationnistes desservent les entreprises qui les engagent et que, parmi celles-ci, les mieux nanties ont davantage de ressources pour se payer les meilleurs spécialistes, dans le for intérieur de chaque relationniste vibre une mission supérieure pour laquelle il a une forte envie de se battre.

Le relationniste d'un syndicat se bat pour une meilleure répartition de la richesse collective. Celui qui représente les minorités culturelles, sociales, ethniques, se bat pour une égalité sociale. Celui qui travaille au sein d'une organisation pour lutter contre la pauvreté se bat pour la reconnaissance des laissés-pour-compte de la société. Celui qui a décidé de consacrer ses énergies à une fondation caritative fait face à la misère humaine et à l'indifférence du public.

S'il peut sembler évident que les relationnistes qui ont prêté leur expertise à des œuvres humanitaires ou sociales sont animés par des sentiments plus nobles que ceux qui jouent les mercenaires auprès des multinationales, la réalité est plus complexe.

Comment, comme relationniste dans une banque, accepter que le rendement exceptionnel de votre entreprise soit transformé en vol public. Comment, comme relationniste dans l'industrie du tabac et des alcools, qui gère la vente de produits tout à fait légaux, accepter d'être accusé de prédateurs de la santé publique, alors que l'État permet la vente de centaines de produits nocifs pour l'équilibre alimentaire.

Comment recevoir des leçons de comportement de bonne conscience sociale par un gouvernement qui extorque, auprès des petits épargnants, par ses loteries de toute nature, des centaines de millions de dollars par année.

Où que le relationniste se trouve, il ne peut éviter d'être investi d'une mission, soit celle de situer son action dans un ensemble incohérent, injuste et inacceptable pour lui. Il devient, malgré lui, un redresseur de torts.

Il ne faut pas oublier que des groupements comme GreenPeace, jouissant d'une grande renommée, ont utilisé des activités de relations publiques pour le moins discutables pour contrer des activités tout à fait acceptables. Ne parlons pas ici de la chasse aux bébés phoques qui a privé de revenu, quelque 60 000 personnes, à partir de quelques images truquées, et qui a profondément perturbé l'écologie des mers. Plus il y a de phoques, moins il y a de poissons. Si l'espèce humaine mange peu de phoques alors qu'il s'agit d'une viande intéressante, elle se voit privée de millions de tonnes de poissons englouties par ces phoques.

On devrait aussi signaler la lutte féroce qu'a livrée GreenPeace contre l'enfouissement dans la mer du Nord des plates-formes de forage de la multinationale Shell, sous prétexte que ceci allait polluer les mers. Green Peace a gagné son pari. Shell n'a pas immergé ses plates-formes. Mais Green Peace a dû s'excuser car les arguments et les faits avancés contre l'immersion étaient basés sur des données erronées.

Il ne s'agit pas ici de décerner des certificats de bonne conduite, mais de rappeler que le relationniste, peu importe le type d'organisation qui l'emploie, se sent nécessairement investi d'une mission.

Voilà donc des images réelles du travail de quelques relationnistes, mais en fait, elles en feraient rougir... de gêne quelques-uns d'entre eux, et d'envie tous les autres. Car la vie quotidienne de la majorité des relationnistes doit faire face à des images qu'on pourrait qualifier de moins confortables.

2.6 La vérité avant tout

Le relationniste n'a aucun intérêt à tenter volontairement de tromper et, pour lui, il est primordial d'être fiable. «Être cru c'est notre survie», écrivait Sormany (1988). Et il poursuivait: «Parler vrai, cela ne veut pas dire qu'il faille s'abstenir de présenter les choses du bon côté. Parler vrai, ce n'est pas nécessairement tout dire, ne pas tout dire ne signifie pas mentir».

Face au journaliste, le relationniste identifie toujours le client pour lequel il travaille. Il lui apporte de la matière plus ou moins brute, d'intérêt général ou spécialisé et il essaie de mettre en lumière les aspects positifs de l'information transmise.

À cet effet, Sormany fait un parallèle entre le journaliste-juge et le relationniste-avocat. «Lorsque le juge entend un avocat de la défense plaider la cause de son client en insistant sur les éléments positifs, en utilisant les précédents, les lois, en mettant le moins d'accent possible sur certains aspects plus négatifs, le juge ne considère pas l'avocat comme... une menace à la justice. Non, le juge considère que l'avocat de la défense joue son rôle pour que toute vérité soit faite. Il le considère comme un élément nécessaire du processus et il verrait même d'un mauvais œil que l'accusé soit laissé à lui-même devant un tribunal qui a ses propres règles de conduite, fort strictes et parfois déroutantes.»

Pour Beaulieu (1988), «la qualité de l'information... constitue la mesure de notre compétence, de notre réputation et... de notre réussite. Et nous tenons à ce que la qualité de l'information que nous diffusons soit reconnue par nos clients, par les médias et, ultimement, par l'opinion publique. La qualité de l'information, c'est... la base de notre éthique professionnelle».

3. LES IMAGES PERÇUES

Dans l'imaginaire collectif, le relationniste a une tout autre image.

3.1 Le relationniste mondain

Michel Dumas, alors qu'il était président de la Société des relationnistes du Québec, avait défini ainsi le mondain: «Il est perçu comme l'employé qu'on destine dans l'entreprise à l'établissement et au maintien de bonnes relations. Il se fait un point d'honneur de toujours glisser un bon mot pour la compagnie. Il est le spécialiste des poignées de mains, l'assidu des cocktails, l'homme aux sourires empruntés et aux phrases obligatoirement optimistes. Après tout, quoi de mieux pour se faire connaître que de rencontrer des gens, et quelle meilleure façon d'établir des contacts avec eux que de boire à leur santé».

Suzanne Lalande (1988) précisait de son côté que «les relationnistes ont un problème d'image. Celle du bon vieux P.R. (prononcé à l'anglaise) des années 1960, celle de la claque dans le dos, du «comment va ta femme?» et du «Je t'offre un verre?» leur collent aux talons comme un vieux chien désespérément fidèle. Elle n'est plus de mise depuis longtemps, mais elle a laissé derrière elle comme un relent de méfiance».

Dominique Lépine, alors qu'elle était professeure de relations publiques à la Cité collégiale d'Ottawa (Cobb, 1992), mentionnait que l'image des relationnistes est souvent associée au tournoi de golf et au champagne, alors qu'en réalité leur travail est fait de discipline, de travail ardu et de recherche.

Ce qu'il faut retenir de cette image, c'est que colle au dos du relationniste une image de mondain de mauvais aloi. Mais on oublie que, dans la réalité, le relationniste doit être un mondain et qu'il n'y a rien de répréhensible à cela. Comment créer des relations amicales et de sympathie avec des interlocuteurs en restant derrière un bureau et en envoyant des documents d'information ? La sympathie se crée par des contacts et des rencontres. Plus ceux-ci seront chaleureux, plus le lien entre eux sera fort.

Si les contacts sont importants, lorsqu'ils sont sans contenu, sans profondeur, sans richesse intérieure, ils ne sont qu'artificiels. Il y a, certes, des relationnistes qui se contentent de cette attitude, mais on a tôt fait de les qualifier d'hôtesses ou d'hôtes sans plus. Ils ont décidé de jouer la carte première de ce métier, le sourire, mais ils ont oublié de le dépasser.

En somme, réduire les relations publiques aux cocktails, c'est avoir une fausse idée de ce métier. Mais, négliger les cocktails, c'est mal jouer son rôle.

3.2 Le relationniste agent de presse

Michel Dumas (1985) poursuit ainsi : « Le relationniste-agent de presse est guidé par certains principes que traduisent les dictons à la mode comme "qu'on en parle en bien ou en mal, d'abord qu'on parle de nous" ou encore "tout va bien tant et aussi longtemps que les gens réussissent à bien épeler le nom de la compagnie". On calcule alors la valeur de ce virtuose de la publicité gratuite au nombre de lignes agates et au nombre de photos sur l'entreprise qu'il réussit à faire publier annuellement dans les médias. Les scrap books regorgent de coupures de presse et des innombrables photos du président».

Il s'agit là d'une image bien ancrée du relationniste. Cette image soutient que le relationniste peut remplacer une campagne onéreuse de publicité par une campagne économique de relations publiques et qu'il peut prolonger une campagne de publicité par une stratégie habile de relations publiques. Ainsi, certains pourraient avoir tendance à rechercher un relationniste qui connaît tous les journalistes par leur prénom et qui réussit à obtenir de l'espace gratuit.

L'inconvénient de cette attitude, c'est qu'on sacrifie parfois les objectifs stratégiques pour une pratique d'occupation de l'espace gratuit. Quelle est l'utilité de tenir une conférence de presse couverte par tous les médias si, ultimement, personne n'achète le produit, n'utilise le service ou ne croit en l'idée? Que sert d'être présent dans les médias si on n'est pas présent dans la tête de la cible visée?

L'efficacité du relationniste ne se mesure donc pas en fonction d'espaces gratuits obtenus, mais bien en fonction des changements de comportement obtenus.

En même temps, il est essentiel d'être un bon agent de presse. Une des tâches principales du relationniste, c'est d'attirer l'attention des médias pour qu'ils aident à développer le courant de sympathie qu'une organisation recherche avec ses clientèles.

3.3 Le manipulateur

C'est sans doute l'image du manipulateur qui revient le plus souvent. Et la raison en est fort simple. Ce sont les journalistes qui la diffusent. La Fédération professionnelle des journalistes a organisé un colloque sur le thème: «Des nouvelles sans relations de presse» au cours duquel les relationnistes ont été fortement fustigés.

«Les professionnels des relations publiques, écrivait Rodolphe Morissette dans la revue *Le 30* de mars 1984, ont pratiquement gagné leur pari: ils ont réussi à manipuler et à encercler la presse quotidienne électronique et écrite.»

Il paraît évident que les journalistes sont agacés par le fait que les relationnistes sont préoccupés davantage par la mise en valeur de leur entreprise que par le droit du public à l'information, tâche qu'ils doivent eux-mêmes assumer.

Il est vrai que celui qui gère la réalité par la parole pratique une certaine forme de manipulation. Le politicien qui prône des changements ne promet que des paroles. Car on sait maintenant qu'une fois sur deux il ne les réalise pas lorsqu'il détient le pouvoir. Le clergé qui prêche la bonne parole crée ses dieux et leurs châtiments par la seule parole. Le journaliste qui voit un événement le recrée en paroles ou en images. Il y a nécessairement un redécoupage de la réalité. Un verre est-il à moitié plein ou à moitié vide? Décrire, c'est prendre parti, même inconsciemment.

Parce qu'il ne réussit pas à convaincre le journaliste qu'il n'y a rien de camouflé dans les faits et gestes qu'il diffuse sur son organisation, le relationniste est vite taxé de manipulation. Il ne s'agit plus ici de traduire avec fidélité les faits et gestes, mais bien d'une question de confiance ou de méfiance entre ces partenaires.

Alors que les relationnistes ont pour tâche avouée de mettre en valeur les dimensions positives de l'organisation pour laquelle ils travaillent, aux yeux des journalistes, les relationnistes donnent l'impression d'être des manipulateurs.

C'est que l'image publique de la profession, présentée dans les médias, ne tient pas compte de la réalité du métier de relationniste. Sans vouloir excuser les dérapages qui peuvent se glisser, les entreprises et les organisations vivent très souvent sur la défensive et doivent évoluer dans un environnement hostile créé par les compétiteurs, les groupes de pression, les adversaires qui ont tous des intérêts à défendre.

3.4 Le ventilateur

Terme péjoratif s'il s'en faut, le ventilateur (Gryspeerdt, 1992) est celui qui fait beaucoup de vent, dépense beaucoup d'énergie et, au bout du compte, ne sert qu'à déplacer de l'air. C'est ainsi que sont qualifiés les relationnistes par certains cadres d'entreprises et d'organisations qui ne croient guère en l'efficacité des relations publiques et «qui ne voient ni la nécessité, ni l'intérêt pour leur firme de recourir à la communication de manière professionnelle».

3.5 Le *spin doctor*

Le mot anglais n'a pas été traduit et qualifie celui qui manipule l'information de sorte que son client paraisse sous un bon jour. Ce terme ne s'applique qu'aux relations publiques et vise celui qui intervient pour faire changer l'optique d'une chose, d'un personnage de façon plutôt artificielle. Ainsi, à la sortie du livre *Charles, victime ou traître*, dans lequel l'auteure Penny Junor se livre à un exercice iconoclaste qui écorne la sainte image de la princesse du peuple, le journaliste Marc Roche (1998) signale qu'à «l'instar de bon nombre d'observateurs, l'historien Ben Pimlott... croit distinguer derrière ces révélations l'action des *spin doctors* (directeurs de la communication), engagés par His Royal Highness pour se refaire une santé médiatique».

Dans un article portant sur le rôle des conseillers en relations publiques, Tang (1998) n'hésite pas à mettre en parallèle l'image du journaliste, chevalier de la vérité, recherchant toute information digne d'être éditée, et celle du relationniste, souvent perçu par le public comme un *spin doctor* sans scrupule, prêt à vendre son âme pour défendre les intérêts du plus offrant.

Le *spin doctor* recouvre donc l'idée du manipulateur, à la fois gourou et peut-être charlatan.

3.6 Le docile

Certains croient que les relationnistes sont à la merci de leurs patrons ou clients, qu'ils vont effectuer toutes les basses œuvres requises par eux et que leurs marges de manœuvre sont très limitées.

Si cette image est malheureusement exacte dans quelques cas, il faut considérer que, comme tout professionnel, le relationniste n'est pas plus l'esclave de ses patrons ou clients qu'un avocat, un médecin, un ingénieur ou un comptable.

Sormany (1988) indiquait à ce titre que «nos services sont retenus par un client non pas pour véhiculer sans discernement ce qu'il veut dire, mais d'abord pour le conseiller sur *quoi* dire, *comment* le dire, *quand*, *où* et *à qui* le dire. Surtout, [...] nous sommes là pour faire en sorte que nos clients parlent vrai».

4. LES IMAGES VÉCUES

Les relationnistes ont utilisé plusieurs images pour qualifier leur travail. En voici quelques-unes.

4.1 Le schizophrène

Dominique Vastel, directeur des communications d'une entreprise française, disait de son métier: «Ma fonction, c'est de rationaliser l'irrationnel. L'entreprise est rationnelle. L'opinion est irrationnelle. Je suis le schizophrène de l'entreprise par ma position d'acteur spectateur de mes propres actions et de leur conséquences» (Tixier-Guichard et Chaize 1993, p. 80).

Par ailleurs, le relationnaliste, comme tout professionnel, peut être amené à souffrir de devoir le jour, face à ses patrons, défendre certaines avenues, et le soir, devant ses amis, les décrier. Dans toute entreprise, il y a une part de bêtise due à la mesquinerie humaine, au manque d'envergure des partenaires avec qui l'on doit transiger, et aux luttes de pouvoir.

4.2 Le fou du roi

L'intervention du relationniste a permis aux administrateurs, davantage concentrés sur les problèmes quotidiens de gestion, de mieux comprendre et, en définitive, de mieux servir le public auquel l'entreprise s'adresse. C'est sans doute en raison de ce rôle difficile que certains ont qualifié le relationniste de mauvaise conscience de l'entreprise. À titre de représentant de l'opinion publique, on serait tenté d'assimiler son rôle à celui du fou du roi.

À la cour, le fou avait le rôle ingrat de rappeler au roi ses écarts de conduite par rapport à la norme sociale du temps. Il pouvait l'assumer parce qu'il ne se sentait pas menacé. Son témoignage avait une valeur d'autant plus grande qu'il pouvait être présent partout et qu'on pouvait en sa présence discuter de tous les sujets. En somme, il faisait partie de la haute direction.

Les dirigeants d'entreprises doivent accepter ce défi. Ils seront inondés alors, non pas de qu'en-dira-t-on, mais bien d'informations essentielles ayant trait à l'entreprise et de celles qui touchent son milieu extérieur. Cela est d'autant plus important que, de nos jours, le déphasage de l'entreprise par rapport à son milieu n'a jamais été aussi grand. Ainsi, il ne faut pas avoir peur de dire aux dirigeants de ne pas faire telle démarche, de ne pas entreprendre telle aventure... Mais il ne faut pas pour autant tuer toute initiative.

Le revers de cette image, c'est que «[...] beaucoup de membres des directions générales ne les voient que comme des spécialistes – sortes de saltimbanques de luxe, sympathiques, inspirés et un peu désordonnés – des techniques communicantes» (Tixier-Guichard et Chaize, 1993, p. 79).

4.3 L'emballeur

Le métier de relationniste permet-il vraiment d'être autre chose que des emballeurs professionnels ? Selon les patrons, les clients, les urgences, les relationnistes emballent différents produits (certes de façon excellente), participent en certaines circonstances aux décisions stratégiques, mais ne possèdent que très rarement le contenu. De ce fait, l'emballeur, c'est celui qui, dans la tourmente des urgences quotidiennes, emballe des produits, des services et des idées sans avoir eu le temps d'en prendre connaissance.

Au fil de sa carrière, le relationniste pourra emballer des produits de natures très différentes. Selon le hasard des emplois qu'il aura, il emballera, un jour, un produit financier, le lendemain, un produit culturel ou un service public. S'il travaille dans une agence, il emballera les produits que lui confieront les clients.

4.4 Le mercenaire

Le métier d'emballeur de différents produits amène les relationnistes à devenir de véritables mercenaires. Le relationniste met ses talents au service de celui qui l'emploie. Au client qui retient ses services, il lui consacre énergie et expertise. Ce n'est pas toujours par choix que l'on travaille dans une entreprise plutôt qu'une autre, surtout en début de carrière. On vend ses services à celui qui est prêt à embaucher.

Il existe d'excellents mercenaires qui prêtent leur intelligence et leur connaissance du métier à des causes tout à fait louables. Plus le relationniste saisit la complexité des choses, plus il devient polyvalent. La richesse d'être d'une personne lui permet d'apporter sa profondeur à quelque cause qu'il touche.

4.5 Le gestionnaire d'images

Michel Dumas précise que : «Dans les entreprises plus sophisti-quées, on concède alors au relationniste [...] une fonction plus réflexive de faiseur d'images. On a recours à ses services lorsque l'image de la compagnie s'est détériorée ou lorsqu'on a des difficultés à vendre un produit afin qu'il développe une ou des images, évidemment favorables, grâce auxquelles en véritable thaumaturge de la communication, il con-vaincra le public que sa compagnie est la plus responsable et son produit de la meilleure qualité».

«Des gestionnaires d'image», précise Denis Couture (Lalande, 1988), alors président de la Société des relationnistes du Québec et chef du service des nouvelles à Air Canada. «Gérer l'image d'une entreprise est essentielle et c'est ce que nous faisons, mais la gérer ne veut pas dire la manipuler.»

Le relationniste essaie de minimiser la distorsion qu'il peut y avoir entre ce que l'entreprise pense d'elle-même et ce que les gens pensent qu'elle est. Le relationniste surveille autant l'image matérielle de l'en-treprise que son image symbolique. La première s'articule à partir de toutes les manifestations concrètes de l'entreprise : le prestige de son siège social, la décoration des bureaux, le soin apporté à la propreté de son parc automobile ou de camions. La seconde est construite à partir des gestes symboliques que pose l'entreprise : l'appui à des œuvres culturelles, humanitaires, scientifiques.

«En fait, précise la journaliste Suzanne Lalande, l'image est un mot délicat. Qu'on en soit le faiseur ou le gestionnaire, elle a un petit air de pas-tout-à-fait-conforme-à-la-réalité qui chatouille la confiance.»

4.6 Le maquilleur

Pour les relationnistes, les questions d'images ressemblent fort à du maquillage... Contrer cette perception est une tâche difficile, d'autant plus que les relations publiques ne peuvent se pratiquer sans une trousse à maquillage.

Marcel Couture, alors vice-président à l'information à Hydro-Québec, rappelait que «pour beaucoup, la communication d'entreprise sert à dissimuler des choses et à toujours faire valoir le beau côté de la médaille. Pour les chargés de séduction publique, tenants de cette théorie très "relations publiques d'avant la révolution tranquille", communiquer équivaut à manipuler l'opinion de telle sorte qu'elle nous soit toujours favorable» (Cayouette, 1986).

Est-il possible de dire toute la vérité comme relationniste? «Oui, mais ce n'est pas parce qu'on ne dit pas tout qu'on ment», affirme Denis Couture, alors président de la Société des relationnistes du Québec. «Il est des occasions où on ne peut pas tout dire pour des raisons de stratégie ou de confidentialité. Dans un conflit de travail, par exemple, l'employeur ne peut quand même pas dévoiler où ça fait mal et risquer ainsi de perdre les négociations.»

Le maquillage peut se faire avec sobriété ou débordement. Trop de maquillage défigure; pas assez ne rend pas justice à la personne qui l'utilise; bien dosé, il met en valeur les caractéristiques les plus avantageuses, cache les rides désagréables, permet à la personne de bien se sentir. Mais, à moins d'avoir recours à la chirurgie plastique, le maquillage ne trahit pas la réalité, il la met en valeur.

Les relations publiques permettent de cerner et de vanter les attraits physiques d'une organisation, mais elles ne les changent pas. Elles projettent une image de gagnant et, si le besoin se fait sentir, elles recommanderont le changement d'attitude de l'entreprise pour gagner la sympathie d'un public.

4.7 Le vendeur de produits

On a longtemps opposé le relationniste d'entreprise qui se préoccupe de l'image de l'entreprise et parfois du comportement de la direction au relationniste commercial; un peu comme si le premier avait les mains trop propres pour jouer dans le commercial, dans la vente de produits, laissant ce secteur au marketing, à la publicité et à la promotion. Et on a parfois eu tendance à considérer le relationniste qui fait la promotion des produits ou services de l'entreprise comme étant intégré au monde du marketing; alors qu'on le considère comme un outil de gestion de l'entreprise lorsqu'il traite de l'image ou des affaires publiques.

S'il est vrai qu'il appartient davantage au relationniste de construire une image de marque d'une entreprise et d'entretenir de bons rapports avec la clientèle, et qu'il appartient en propre à la publicité de vendre des produits, aujourd'hui ces activités sont parfois si étroitement liées qu'il devient difficile de les différencier l'une de l'autre. Car il est de plus en plus inopportun de séparer l'image d'une entreprise des produits qu'elle vend. Et de plus en plus, on utilise toutes les techniques de communication pour promouvoir une entreprise, une cause, un produit. Ce qui n'enlève toutefois pas à chaque entité sa spécificité propre. Les relations publiques créent un climat d'acceptation doux, la publicité exerce des pressions fortes sur le consommateur. Ainsi, de plus en plus, on organisera des événements pour faire connaître des produits, comme le défilé des nouvelles coccinelles de Volkswagen à Montréal, lors de leur arrivée au Québec, ou l'exposition dans les centres commerciaux des casse-tête à trois dimensions. Ce sont des activités de relations publiques destinées à faire vendre un produit.

4.8 L'avocat

Lorsqu'une entreprise doit défiler devant le tribunal de l'opinion publique, accusée de méfaits, accablée de critiques, agressée par des adversaires ou des idéalistes, elle a le devoir de se défendre pour préserver l'intégrité de son image ou de son marché. Le relationniste devient l'avocat de l'organisation. Comme avocat, il n'est pas sa bonne ou mauvaise conscience, mais son défenseur.

Or le rôle de l'avocat est de convaincre le jury et de faire acquitter son client de l'accusation qui pèse sur lui, en démontrant que celle-ci n'est pas fondée, que des circonstances atténuantes l'expliquent, ou que les faits ont été mal rapportés ou mal interprétés. S'il réussit à faire valoir son point de vue, son client en sortira blanchi et grandi.

Dans toute crise, le relationniste doit défendre son entreprise, taire certains faits, et présenter les autres de façon à ce que sa cause paraisse favorable aux yeux de la population. Si l'avocat qui réussit l'acquittement de son client est considéré comme ayant bien travaillé, pourquoi en serait-il autrement du relationniste qui réussit à tirer son entreprise d'une tourmente ?

4.9 Le pompier

Pour le relationniste Jean Mélançon, « le communicateur doit assumer la caractéristique culturelle du rôle du pompier de service. En effet, sa tâche principale est souvent d'éteindre rapidement et efficacement les "propos incendiaires" d'un animateur, d'un commentateur, d'un journaliste, d'un porte-parole, d'un corps intermédiaire ou d'un groupe de pression ».

Le communicateur éteint constamment des « feux » sans jamais ou presque s'interroger sur la source ou la cause de l'incendie ou encore sur l'efficacité des gestes qu'il pose. Le feu éteint et la fumée estompée, une autre alerte est sonnée et on recommence. Tout au plus a-t-on le temps, comme les pompiers professionnels, d'astiquer ou de réparer les pièces d'équipement entre deux événements. Comme le pompier, le communicateur a peu de temps à consacrer à la prévention, à la surveillance des pyromanes... à la planification du service des incendies.

4.10 Le démocrate

Quel rôle peut jouer le relationniste dans la défense de la démocratie puisqu'il appartient en propre au journaliste d'être le chien de garde de cette démocratie ? Ce rôle est joué par le fait que le relationniste exerce avec une aussi grande vigilance que le journaliste la surveillance de l'environnement.

Lorsqu'il n'y a qu'un seul journaliste pour couvrir tout un pan de l'activité humaine, comme l'éducation par exemple, et qu'il existe, à côté, quelques centaines de relationnistes engagés dans des organisations concurrentes dans ce même domaine, comme le ministère de l'Éducation, la Centrale de l'enseignement du Québec, la Fédération des commissions scolaires, la Fédération des comités de parents, ce sont ceux-ci qui vont exercer une surveillance étroite du milieu, épiant les gestes de chacun des autres, rectifiant ou bonifiant sur la place publique les erreurs et les bons coups. Ce faisant, ils contrôlent tout débordement que serait tenté de faire l'un des partenaires. Certes, ils défendent tous leurs propres intérêts, mais comme ils sont de multiples acteurs différenciés à surveiller ce milieu, ils sont plus vigilants et mieux préparés qu'un seul journaliste pour rendre policé l'espace public.

Des groupes antagonistes comme Pro-vie et Pro-choix vont continuellement équilibrer le discours social sur l'avortement, permettant à tous les citoyens d'avoir les deux versions. On n'attend plus que ce soit le politique ou le religieux qui décide ce que chacun doit penser de l'avortement. Le partage des idées des groupes antagonistes permet à chacun d'être mieux informé et, de ce fait, de jouer un rôle actif de citoyen.

Certes, un journaliste peut présenter des dossiers intéressants sur le sujet, mais il ne pourra jamais posséder la même connaissance de la complexité du phénomène comme le font les relationnistes et les porte-parole des groupes qui travaillent à longueur de semaine dans le même environnement et qui en perçoivent toutes les facettes.

C'est en ce sens que le relationniste est un acteur dans le maintien de la démocratie.

4.11 Le téméraire

Il se dépense, en effet, des centaines de milliers de dollars en relations publiques chaque année et il se fait peu de recherche et d'évaluation. En somme, les relationnistes pratiquent un métier au pif.

Cela est dû à un double facteur : il n'existe pas encore d'indicateurs de rendement, ni d'outils d'évaluation qui, au-delà de la notoriété des actions entreprises, permettent de savoir si l'approche utilisée pour atteindre ses objectifs est la bonne. Et cette lacune provient du fait que le client-patron ne comprend pas toujours le bien-fondé de poursuivre des recherches en ce sens.

Le téméraire, c'est celui qui n'a ni le temps, ni le soutien de son organisation, ni les fonds nécessaires pour réaliser tous les sondages, recherches et évaluations qu'il souhaiterait faire. De ce fait, il se lance dans des opérations sans avoir tous les outils requis pour s'assurer qu'il est dans la bonne voie.

Les patrons s'attendent à des solutions, et non pas à des questionnements. Toute recherche peut sembler inutile devant l'urgence d'une solution.

CONCLUSION

Selon Yves Dupré, président du groupe BDDS, le bon relationniste sera honnête, stratégique, cultivé et audacieux. Son métier : informateur-gestionnaire-séducteur.

Si l'on ajoute toutes les autres images qui lui collent au dos, on se rend maintenant compte du métier complexe qu'il pratique et des multiples facettes qu'entraîne cette profession. Il s'agit d'un métier rempli de défis et de contradictions.

6

LES DÉFIS DE L'AVENIR

Les relations publiques sont au cœur des grands débats de société. Elles participent activement à la dynamique de la démocratie. C'est toutefois une jeune profession enseignée depuis à peine 25 ans dans les établissements universitaires qui commence à atteindre sa pleine maturité. De ce fait, elle fait face à de nombreux défis, tant sur le plan professionnel que sur le plan social.

1. SUR LE PLAN PROFESSIONNEL

Quatre problèmes particuliers guettent le métier de relationniste. Le premier concerne la crédibilité de ces professionnels à l'intérieur de leur organisation; le deuxième traite de l'image de la profession; le troisième touche à la spécificité de la formation; le quatrième aborde toute la question de l'évaluation.

1.1 La crédibilité du relationniste

Affirmer que les relations publiques sont un outil de gestion et qu'elles doivent relever du plus haut niveau de décision d'une entreprise restera une vue de l'esprit tant que, sur le plan concret, les responsables de communication ne participeront pas dans une très large mesure à la prise de décisions des entreprises.

À l'heure actuelle, même si la règle prévaut dans les très grandes organisations, de nombreuses autres entreprises ne la respectent pas. On utilise trop souvent, à l'interne, ce qu'on appelle la communication instrumentale, préférant avoir recours à des firmes conseils pour le volet stratégique.

Ce qui signifie que l'entreprise n'accorde pas toute la confiance nécessaire à sa direction des communications. À telle enseigne que, dans une entreprise ou une organisation, un communicateur réussit rarement à se hisser au plus haut échelon de celle-ci. Lorsqu'il aura atteint le poste de vice-président aux communications, ce sera le plus haut qu'il ira. Un avocat, un ingénieur, un fiscaliste peut espérer prendre un jour les rênes de son organisation. Le communicateur n'y arrive que dans les entreprises de communication ou dans celles où le marketing joue un rôle prépondérant.

On peut expliquer cette situation d'une double façon. D'une part, la profession en tant que telle n'a pas encore obtenu ses lettres de noblesse. D'autre part, les relationnistes n'ont pas réussi à s'imposer, comme professionnels, dans les entreprises qui les engagent.

Ceux qui réussissent le mieux sont ceux qui, à mi-chemin de carrière, quittent les communications pour un secteur plus prometteur, comme la planification par exemple. Ils sont souvent très bien préparés pour faire ce saut, car ils ont pu toucher à toutes les facettes d'une entreprise en tant que communicateur.

1.2 L'image de la profession

Malgré la réussite incontestable de la profession, et peut-être à cause d'elle, les relationnistes se sont fait avec le temps quelques ennemis. Si l'on part du principe que l'on n'attaque pas ceux qui nous sont indifférents mais plutôt ceux que l'on craint ou qui dérangent, le poids des attaques donne la dimension de la force du métier.

Or, ce sont en majeure partie les journalistes qui vont manifester leur agacement face aux relationnistes, et ça se comprend. Ce sont eux qui ont à «subir» le plus souvent les activités des relationnistes.

Le problème actuel, c'est que personne ne répond de façon systématique aux sautes d'humeur des journalistes. La Société des relationnistes du Québec ne s'est pas donné pour mandat de défendre sur la place publique l'image de la profession. De ce fait, elle ne dénonce pas de façon systématique toutes les attaques faites à l'endroit de la profession.

De plus, elle n'exerce pas une veille agressive contre tous ceux qui osent médire sur la profession. De ce fait, l'image de la profession est définie davantage par ceux qui ne l'aiment pas que par ceux qui la pratiquent. De temps à autre, un relationniste se lève pour rectifier certains discours désobligeants sur la profession, mais la plupart du temps la profession laisse passer, sans se défendre, les préjugés qui circulent contre elle.

Il faut s'interroger sur ce phénomène. Le pouvoir des relations publiques est indéniable et il est reconnu par les entreprises qui en font bon usage. Cependant cette profession, qui excelle à mettre de l'avant l'image des autres, vit ce paradoxe qu'elle n'arrive pas à imposer sa véritable image.

1.3 La spécificité de la formation

Quelle est la formation idéale pour devenir relationniste? Le consensus est loin d'être fait sur ce sujet. Chaque université a développé une approche qui lui est personnelle. Les relationnistes sont formés, au premier cycle, par des certificats, des diplômes, des baccalauréats, des études à distance.

Cette façon de faire permet à la profession de bénéficier d'apports de toutes les sciences humaines, mais elle n'impose à personne un minimum de connaissances de base, ni un tronc commun de connaissances.

Les pays, les entreprises et les particuliers qui ont accordé à la formation l'importance qu'elle mérite ont une longueur d'avance sur les autres. La nécessité d'une formation en relations publiques a été reconnue et c'est ce qui explique la diversité des cours offerts. Mais une question reste sans réponse: vise-t-on surtout une formation instrumentale (c'est-à-dire une formation aux techniques), une formation stratégique ou une formation fondamentale. Il faut les trois. Mais c'est sur le dosage de chacune que les avis divergent.

Une profession qui doit relever les défis proposés plus loin requiert beaucoup de profondeur. Et celle-ci est lente à mûrir.

1.4 L'évaluation

Comment s'assurer que toutes les démarches en relations publiques sont utiles, efficaces et rentables? Une conférence de presse peut s'évaluer par le nombre de journalistes présents et par l'espace obtenu dans les médias après la conférence. Cette évaluation donne l'état de la couverture de presse, mais ne dit pas comment le public visé a reçu l'information.

Ceci peut se mesurer par des enquêtes et par la compilation des demandes de renseignements. On saura alors ce que pense le public visé, mais non ce qu'il fait. Il faut aussi évaluer le comportement d'achat du public.

L'évaluation est donc une étape essentielle mais difficile à réaliser. Les indicateurs de rendement ne sont pas toujours bien arrêtés, le temps et l'énergie pour réaliser de telles évaluations manquent, la nécessité de faire des évaluations en profondeur ne se fait pas toujours sentir. Dans un sondage sur les perceptions des dirigeants d'affaires à l'égard des relations publiques au Québec fait par le groupe Léger et Léger pour le compte de la banque CIBC (1991), on précise qu'il n'existe peu de mesures réelles de contrôle afin d'évaluer l'efficacité des actions de relations publiques. Même si les dirigeants d'entreprise affirment que les investissements en relations publiques leur ont donné plus de visibilité, qu'il s'agissait d'un investissement à long terme et que leur entreprise avait gagné en crédibilité, les auteurs de l'enquête notent que cette évaluation des retombées des relations publiques est arbitraire et ne s'appuie sur aucune quantification statistique précise.

Dans une stratégie de communication, tout peut s'évaluer, en commençant par la décision de tenir une activité de communication : était-ce une bonne idée de tenir une conférence de presse, de faire un plan de communication, de lancer une campagne de relations publiques?

Ensuite, l'analyse de la situation a-t-elle été bien faite? Les objectifs de communication et les cibles ont-ils bien été définis? Les techniques retenues étaient-elles les meilleures? Comment savoir s'il vaut mieux participer à une exposition ou expédier de la documentation directement à sa clientèle cible?

Il existe une façon de vérifier chacune de ces questions. Mais les relations publiques ne sont pas une science mathématique. Et il peut sembler parfois inutile de faire des évaluations puisqu'on ne saura jamais vraiment ce qui motive les décisions du public, ses engouements et ses déceptions.

Trop souvent, on mesurera la portée de certains gestes de relations publiques, on pratiquera des analyses de contenu pour savoir ce que les médias ont retenu de ces gestes, mais on négligera de se demander s'ils ont changé la mentalité, l'attitude ou le comportement de la cible visée.

1.5 La communication interne

Les activités de relations publiques visant les publics internes vont devenir plus importantes. Les mutations socio-économiques amènent de profonds changements à l'intérieur des entreprises. Entre la globalisation qui projette en peu de temps une petite entreprise sur la scène internationale et les mégafusions qui éliminent des milliers de postes en quelques semaines, le personnel de l'entreprise perd son identité et n'a plus de valeurs auxquelles se raccrocher.

Or, de plus en plus, le capital humain et la matière grise constituent la matière première qui permettent la bonne marche et le développement des entreprises. Plus le personnel sera motivé, plus il participera aux activités de l'entreprise, plus il développera des attitudes d'entrepreneuriat, plus la productivité s'améliorera.

Désormais, pour réussir, l'entreprise doit faire mieux avec moins à l'intérieur de ses murs. Pour affronter la compétition, elle doit abaisser ses coûts de production et de fonctionnement.

C'est donc, chaque fois, sur le personnel que retombera la nécessité de vivre, de s'adapter et de gérer les changements. Par ailleurs, ce même personnel se sent inquiet face à tous les changements qui perturbent la société. Pour eux, c'est l'incertitude de l'emploi; pour leurs enfants, c'est l'échec scolaire, la drogue, la difficulté d'affronter l'existence qui les hantent ; pour leurs parents, c'est la qualité de vie qu'ils cherchent à leur donner. Ce personnel doit donc être considéré comme un public à part entière dont on doit s'occuper. Cette préoccupation, pour le relationniste, ne peut être considérée comme secondaire, puisque le personnel est ici l'âme d'une entreprise, en même temps que sa tête et ses bras.

1.6 La gestion des enjeux

Dans un sondage réalisé (Mepham, 1995) auprès de 60 directions de communication de grandes entreprises canadiennes et un autre (Lamarre, 1995) auprès d'une cinquantaine de conseillers en relations publiques, on apprend que la première tâche qu'aura à gérer le conseiller en relations publiques, au cours des prochaines années, sera la gestion d'enjeux provenant du changement de l'environnement.

Il y a 25 ans, un non-fumeur était facilement félicité pour son attitude et constituait l'exception. Aujourd'hui, tout fumeur demande la permission, presque honteusement, de pouvoir fumer après le repas, s'il est invité chez des gens qu'il connaît peu. Or, la consommation du tabac n'a pas beaucoup diminué depuis 25 ans au pays, mais ce sont les attitudes qui ont changé.

Qui aurait cru, il y a 20 ans, qu'une entreprise de grande renommée oserait faire une publicité qui s'adresse explicitement à la communauté homosexuelle ? On ne voyait pas, il y a dix ans, des espaces réservés aux handicapés et des rampes d'accueil pour ces gens dans tous les édifices publics.

Le conseiller en relations publiques est continuellement interpellé par ces changements de société. Il doit les prévoir, les comprendre, les assimiler et s'y adapter. Et ce qui peut paraître aujourd'hui inacceptable sera peut-être la norme de demain.

De plus, il doit associer ses supérieurs et ses patrons à ses réflexions et leur faire partager les nouvelles exigences de la société. Qu'il le veuille ou non, un chef d'entreprise est irrémédiablement happé par l'obligation de communiquer. Pour séduire ses actionnaires, il doit être présent sur la place publique ; pour contrer les opposants, il doit se défendre dans les médias. Pour développer une image dynamique, il doit sacrifier sa réserve pour s'affirmer. Or, les chefs d'entreprises n'ont pas été initiés à ces nouveaux comportements qu'on attend d'eux.

1.7 Le retour à l'individu

Aussi paradoxal que cela puisse paraître, les grands médias de communication, surtout la télévision et les revues, pour atteindre toutes les couches de la société, ont créé des niches extrêmement étroites pour atteindre un certain public cible.

S'il est vrai qu'on présente encore des émissions à très grande diffusion aux grands réseaux de télévision, les revues et les canaux spécialisés de la télévision recherchent des cibles de plus en plus étroites. Ce qui faisait dire au président pour les Amériques de la firme de relations publiques Burson-Marsteller, que les communications vont continuer de se «démassifier» jusqu'à ce que les entreprises n'aient plus d'autres choix que de communiquer directement avec les individus sans passer par les médias de masse.

2. SUR LE PLAN SOCIÉTAL

Les relationnistes ont un rôle important à jouer dans la définition des enjeux sociaux. En effet, en assistant les porte-parole de tous les groupes qui contestent l'ordre établi et en apportant leur expertise à ceux qui détiennent le pouvoir, ils permettent à la société de défendre les valeurs en lesquelles elle croit, tout en favorisant l'expression de ceux qui veulent les remettre en cause. Cette dynamique sociale est essentielle à la bonne santé d'un milieu de vie. Mais, dans un cas comme dans l'autre, le relationniste doit s'engager dans les causes qu'il défend. Il ne peut se contenter d'être un servile intermédiaire entre une entreprise et son milieu.

Il lui faut également rappeler à l'entreprise qui l'emploie ses devoirs de responsabilité sociale. En toute conscience, un relationniste ne peut pas affirmer sur la place publique que son entreprise fait tous les efforts requis pour protéger l'environnement, alors qu'il sait très bien que l'entreprise pollue illégalement. Ce n'est plus seulement ici une question d'éthique, c'est une question de responsabilité.

Voici donc un certain nombre de défis que doit affronter le relationniste dans son rôle de partenaire social.

2.1 La responsabilité sociale

Il appartient au relationniste d'amener son entreprise à s'interroger sur ses engagements sociaux. L'entreprise a comme préoccupation première de faire des profits, et beaucoup de profits. Les questions sociales, si elles ne lui sont pas rappelées avec insistance, ne sont jamais traitées.

À l'interne, le respect des valeurs nouvelles telles que l'égalité en emploi, l'engagement des membres des communautés culturelles et les handicapés ne fait pas partie des réflexes des entreprises. Il appartient au relationniste de bien connaître son environnement socioculturel et de traduire auprès de la direction les obligations nouvelles que la société lui impose. Pour ce faire, le relationniste doit être sensible à ces éléments et savoir persuader la haute administration de son entreprise de poser des gestes concrets à cet effet. Ces longues luttes à mener sont semées de nombreux écueils et de fortes résistances. Et le relationniste ne doit pas pour autant perdre sa crédibilité en donnant l'impression qu'il se bat pour des choses futiles, comme les décideurs de ce monde ont souvent tendance à réduire tout geste social.

À l'extérieur, l'entreprise doit se montrer bonne personne morale et démontrer qu'elle est un partenaire social actif et responsable. Elle doit s'investir dans sa communauté, aider les plus démunis, favoriser l'éclosion des loisirs, de la culture et de la science. Nous sommes loin ici des bilans financiers. Ces activités peuvent être vues comme des dépenses sans rendement ou comme des investissements dans la société. À la limite, certains chefs d'entreprise joueront les mécènes, c'est-à-dire qu'ils investiront des sommes dans des activités en lesquelles ils croient. C'est le cas de ceux qui ont créé et soutenu des centres culturels, qui ont défendu des causes sociales par conviction et non plus par devoir. C'est ainsi que les grandes entreprises consacrent chaque année une partie de leur budget en dons pour divers organismes de leur choix.

Le rôle du relationniste ou du chargé d'affaires publiques est d'inciter son entreprise à se montrer généreuse, à partager avec les autres et à soutenir des œuvres humanitaires par souci de se montrer partenaire du milieu qui leur a permis de se développer et de s'enrichir.

De nouveaux questionnements surgissent au gré de l'évolution sociale. Désormais, il faut regarder avec un œil différent les relations avec les minorités, avec les groupes de contestation, avec les personnes âgées.

2.2 La dépersonnalisation

Au-delà de la responsabilité sociale de l'entreprise, le relationniste fait face à des problèmes de société plus vastes. Lors d'un de ses congrès, l'International Public Relations Association avait déjà fait état de la responsabilité personnelle du relationniste face à quelques grandes questions de société.

Ainsi, de plus en plus, la société abandonne les relations du groupe primaire, soit la famille et les relations interpersonnelles, pour axer son action sur les groupes secondaires : syndicats, employés, membres de tels ou tels groupes mieux organisés. Il en découle un sentiment de déséquilibre chez celui qui voit s'éroder son univers personnel pour être complètement englouti dans le groupe. C'est le groupe qui conteste, c'est à un groupe que l'on accorde des faveurs, c'est le groupe qui réussit.

L'être humain réagit aux injustices en s'associant à un groupe dans des recours collectifs. La religion qu'il pratique, le parti politique qu'il appuie le ramènent toujours au groupe.

Dans quelle mesure les relations publiques amplifient-elles ce phénomène par son habitude de segmenter le public en cible homogène et uniforme ?

2.3 Le partage de la connaissance

Il y a un fossé entre ceux qui savent et qui décident et ceux qui ignorent et qui subissent. De plus en plus, la connaissance est au cœur des décisions.

◆ La complexité des messages

Que ce soit les questions du nucléaire, de l'informatique, des bio-technologies ou de la guerre des étoiles, tout ce qui entoure le citoyen dépasse son entendement. On parle de robots mécaniques, de super ordinateurs, de découvertes biologiques et d'intelligence artificielle.

La complexité des messages dépasse la possibilité du citoyen ordinaire de pouvoir saisir de façon adéquate toute cette réalité. Il appartient au relationniste qui détient cette information scientifique de savoir la traduire pour qu'elle soit comprise par la population.

En même temps, il lui faut prévenir les autorités des problèmes que peut causer le fossé toujours grandissant entre la science, ses réalisations et le simple citoyen.

◆ Spécialisation et surspécialisation

Notre société dépend de plus en plus de la spécialisation des tâches et des connaissances, ce qui amène la compartimentalisation de la société dans son ensemble.

Dans chaque secteur, les connaissances se développent très rapidement. Il faut faire appel de plus en plus à des spécialistes. Le médecin de famille a cédé sa place à une pléthore de spécialistes qui prennent en charge un organe du corps. On en arrive à la superspécialisation.

Pour que les spécialistes en arrivent à échanger, nous avons recours à des processus de repérages que seul l'ordinateur peut fournir.

On peut se demander maintenant si cette société qui dispose de connaissances de toutes natures, cette société d'information et d'infor-matisation, laisse toujours une place pour les rapports à dimension humaine.

Si l'ordinateur est capable de fournir toutes les informations, que restera-t-il de la créativité de l'homme? Aujourd'hui, l'ordinateur a remplacé dans une certaine mesure la dextérité humaine en infographie. C'est un peu comme les objets faits par des machines-outils; ils sont parfaits alors que ceux de l'artisan étaient originaux et imparfaits...

C'est au relationniste qu'il appartient de faciliter le transfert d'informations du monde scientifique au commun des mortels et entre les spécialistes. C'est également lui qui traduit les mesures administratives des gouvernements à la population. Enfin, c'est encore lui qui joue un rôle de spécialiste dans l'utilisation des médias de communication aux fins de diffusion de ses propos.

Le relationniste est donc partenaire des problèmes que vit notre société. Et il doit trouver un juste milieu entre la loyauté et l'engagement total pour son employeur et le besoin social de préserver une société à dimension humaine.

◆ Information et pouvoir

Pour résoudre les grands problèmes de l'heure, on fait appel de plus en plus à des spécialistes concernant la gestion et l'orientation des décisions. De ce fait, une poignée d'élites détiennent le pouvoir de savoir et refusent de le partager.

Les décisions se prennent alors sans qu'il ne soit permis de comprendre ce qui se passe. Pourquoi, lorsque le cours mondial du pétrole a baissé de 50%, les prix à la pompe n'ont-ils baissé que de quelques cents? Comment gérer l'inflation, les déficits? Quand devons-nous encourager la production du porc et quand devons-nous l'interdire?

Il arrive alors que ce qui est communiqué au public n'est que le résultat ou les conclusions des recherches ou des décisions. Il devient trop fastidieux d'expliquer le comment. On simplifie à outrance la réalité, de sorte que le public ne peut plus savoir.

Dans quelle mesure le relationniste est-il même capable d'avoir accès au langage de l'élite, de le comprendre et de le traduire? Et dans quelle mesure ne se contente-t-il pas de transmettre les conclusions comme étant des vérités absolues?

2.4 Le paradoxe des communications

Alors que le fin mot de la mondialisation s'affirme partout, alors que les pays cèdent une partie de leur prérogative pour faire partie d'ensembles plus grands, tels que l'Alena, le Mercosur, ou l'Union européenne, le citoyen cherche son identité dans sa famille, son quartier, sa région, sa culture de base. Plus on veut le rendre uniforme, plus il cherche à se distinguer dans un univers de référence que lui seul définit.

Et plus se développe la nécessité d'avoir une technologie de l'information à l'échelle mondiale, plus s'accroît le besoin d'information à l'échelle humaine.

Que ce soit le réveil des régions dans les pays, le réveil des banlieues dans les grandes agglomérations, le réveil des quartiers dans les villes, chacun se cherche une personnalité qui ne sera pas noyée dans un grand tout.

Pour occuper ses loisirs, toute personne peut passivement se laisser happer par la télévision abrutissante, mais elle peut aussi s'investir dans l'un des milliers de clubs sociaux de toute nature : cartophile, oenophile, orchidophile, spiritualité, voyages...

L'être humain offrira de la résistance à tout développement technologique tant et aussi longtemps qu'il sentira qu'on l'exclut de ces progrès ; la question des expériences génétiques en est un exemple.

À côté de la société d'information se développe donc le besoin de sécurité de l'être humain, qui le poussera à vouloir faire ses propres choix et à contrôler sa propre vie. Un peu comme le jeune homme ou la jeune fille qui quitte le confort familial pour retrouver son autonomie.

La société d'information doit livrer en contrepartie de son omnipuissance une meilleure image de l'humanité : davantage de chances pour les personnes de se développer de façon harmonieuse dans le monde qui les entoure.

2.5 Les valeurs sociales

Les valeurs sociales sont en mutation. Autrefois, on respectait ses concurrents. Aujourd'hui, on les attaque, les contredit, les confond et les poursuit devant les tribunaux. Autrefois, on recherchait des emplois stables. Aujourd'hui, il faut absolument changer. Et l'on emporte ainsi les secrets de son entreprise. Autrefois, la société croyait en certaines valeurs fondamentales. Aujourd'hui, l'argent et le prestige s'imposent. Et l'on bafoue facilement toutes les valeurs acceptées pour se démarquer dans le bruit communicationnel.

Le relationniste en arrive à vivre deux types de moralité : celle du bureau et la sienne propre, l'une pour le jour et l'autre pour le soir. Les notions de vérité, de franchise, d'honnêteté ou de décence ont vu leurs frontières repoussées. Cela se fait-il pour le bien-être de la population ou pour le mieux-être des entreprises ? Le relationniste, selon ses emplois, peut être amené pendant un certain temps à persuader le public à acheter des automobiles qui procurent prestige et indépendance ; et quelques années plus tard, essayer de favoriser le transport en commun qui décongestionne les centres-villes pollue moins et permet aux moins nantis de la société de se déplacer à des coûts abordables.

2.6 La différence culturelle

L'évolution de la technologie et des échanges commerciaux, la mouvance des populations, la fluidité des frontières entre pays (Alena, Mercosur, Union européenne), la fin du bloc de l'Est, l'ouverture de la Chine créent un univers où les rapports entre les personnes, les produits et les pays prennent un nouveau visage.

Les vedettes du divertissement se déplacent à l'échelle mondiale. Internet peut relier toutes les parties du monde. De petites entreprises québécoises exportent leurs produits ou leur expertise dans des coins reculés du globe. Et d'autres grandes sociétés, comme Bombardier, SNC-Lavalin et Power Corporation ont fait du monde leur champ d'action. Désormais, dans chaque ville de quelque importance, la mixité des communautés culturelles, avec leurs habitudes alimentaires, vestimentaires, culturelles et idéologiques fait partie du décor quotidien. Les grandes villes sont toutes devenues cosmopolites.

Le nouveau défi pour les relationnistes, c'est de vivre désormais avec la différence, de la comprendre et de la faire partager. L'ouverture sur le monde est un réflexe souvent contrarié par le chauvinisme, la xénophobie, le racisme et l'incompréhension de l'autre. En tant qu'intermédiaire social, le relationniste doit construire des ponts entre la différence sociale et culturelle.

2.7 La mondialisation

Le phénomène de la mondialisation se traduit par une nouvelle conscience planétaire. D'une part, la compétition entre les concurrents est plus féroce. Il n'y a plus de marché protégé et les réseaux d'affaires, étroitement tissés au fil des ans, ne résistent plus à l'offensive d'une rentabilité plus grande et plus vite. On change de fournisseurs, de pays de production, de matières premières selon les avantages qu'une entreprise peut en tirer.

D'autre part, les consommateurs avertis et les idéalistes ne tolèrent plus que les normes d'excellence et de bonne conduite en vigueur dans leur pays ne soient pas respectées dans les pays où les compagnies sont actives. Ils exercent sur elles une pression vigilante pour que la protection de l'environnement, la sécurité sur les lieux de travail, le respect de la dignité humaine satisfassent les mêmes exigences, peu importe le pays en question.

Le relationniste fait donc face à intéressant défi. La dimension internationale des faits et gestes de son entreprise ne peut plus le laisser indifférent. La géopolitique doit maintenant faire partie du marketing d'un produit, d'un service ou d'une idée. En même temps, l'ouverture des entreprises sur le monde appelle le relationniste à penser à des stratégies de communication interne internationales. Comment lier les employés d'une même compagnie dispersés sur deux ou trois continents ?

3. LES RELATIONS PUBLIQUES SERVENT-ELLES BIEN LA SOCIÉTÉ ?

Valéry a écrit : « Si un sot parle de Dieu, c'est d'un Dieu sot. Et si quelque savant explique l'univers, l'univers porte lunettes et rosette à la boutonnière ».

Il traduisait ainsi l'importance que détient celui qui présente et dépeint la réalité. Nous n'insisterons pas assez pour dire que le relationniste occupe un rôle important dans la définition des enjeux de société. Comme initiateur de nouvelles et comme source, il contrôle véritablement la majorité des propos qui circulent, qu'ils soient diffusés par un porte-parole ou par un dirigeant d'entreprise ou qu'ils passent entre ses mains. Le journaliste recueille, hiérarchise et critique les propos que les partenaires sociaux lui font parvenir. Pour des questions économiques, ils n'ont pas le temps ni les ressources de faire des enquêtes en profondeur.

Par ailleurs, il faut se souvenir que les grands mouvements sociaux ont dû se battre avec vigueur pour se faire reconnaître. Ils ont usé de toutes les stratégies de communication pour vaincre l'inertie des médias qui, de tout temps, ont été lents à emboîter le pas aux révolutions sociales. Il faut se rappeler l'attitude des médias lorsque les mouvements féministes, écologiques ou homosexuels ont tenté de s'affirmer sur la place publique.

Aujourd'hui, c'est la communication publique qui anime les vrais débats de société. Les porte-parole des organisations et les relationnistes qui les conseillent deviennent les définisseurs d'enjeux. Par exemple, entre les relationnistes et les lobbyistes qui travaillent pour l'industrie du tabac et ceux qui travaillent pour les ministères de la Santé et les non-fumeurs, se dessine la réalité du discours sur l'usage du tabac. Il s'agit de deux discours contradictoires qui s'affrontent sur la place publique, l'un défendant le droit de produire et de vendre un produit légalement accepté, et l'autre le droit de vivre dans un environnement sain et le droit à la santé. L'un est riche et agressif ; l'autre est pauvre et déterminé. Entre les deux, les gouvernements essaient de trouver un compromis. Mais c'est la force des interventions des uns et des autres qui fera pencher la balance de l'opinion publique et la décision des autorités.

Les grands enjeux des dernières décennies ont été orchestrés par les relationnistes. Les relations de travail, la sécurité dans les entreprises, l'égalité des chances en emploi, la violence conjugale, la protection de l'environnement, tous ces éléments ont été apportés à la connaissance du public par les porte-parole et les relationnistes des organisations vouées à ces fins. Les gouvernements sont à la remorque des réformes sociales, ils ne les amorcent pas. Les médias font connaître les revendications des groupes contestataires, ils ne les animent pas. Il revient donc à ces organisations de s'imposer dans l'indifférence de la société par des activités de relations publiques, par l'organisation de manifestations de toute nature, par la prise de la parole.

BIBLIOGRAPHIE

BAILLARGEON, Stéphane, 1993, « Relationnistes : où commence la manipulation ? », *Le Devoir*, 14-15 août, p. B1-B2.

BEAULIEU, Ivanhoé, 1988, « Un chien écrasé a-t-il besoin d'un P.R. », *Des nouvelles sans relations de presse, est-ce possible ?* Actes du 20ᵉ congrès annuel, Fédération professionnelle des journalistes du Québec, p. 102-108.

BEUVE-MÉRY Hubert, 1980, *Liberté et responsabilité des journalistes*, CIC document n° 90ter, Paris, Unesco.

CAYOUETTE, Pierre, 1986, « Les statégies de communication sont révolues », *Le Devoir*, 18 avril, p. 5.

CHARRON, Jean, Jacques LEMIEUX et Florian SAUVAGEAU, 1991, *Les journalistes, les médias et leurs sources*, Boucherville, Gaëtan Morin, éditeur.

CIBC, 1991, *Le pouvoir de savoir*, sondage réalisé par le groupe Léger et Léger, Montréal, 27 p.

COBB, Chris, 1992, « Flogging the truth. Public relations students learn to tell it like it is », *The Ottawa Citizen*, 7 mars, p. C9.

COMMISSION DES UNIVERSITÉS SUR LES PROGRAMMES, 1997, *Communication : Enseignement et recherche : complémentarité et concertation*, Rapport n° 2, novembre, 60 p. + annexes.

DECORNOY, Jacques, 1970, *Péril jaune, peur blanche*, Grasset.

DOMENACH, Jean-Marie, 1979, *La propagande politique*, Que sais-je n° 448, Paris, Presses universitaires de France.

DUMAS, Michel, 1985, « Les relations publiques, camouflage ou communication », Conférence prononcée au Club Rotary de Québec, 8 avril.

GRYSPEERDT, Axel, 1992, « Les fondements professionnels des relations publiques et de la communication d'entreprise : représentations et "règles de conduite" professionnelles », *Guide des médias*, Kluwer, Deurne, suppl. 12, Gry 1 à 14.

GRYSPEERDT, Axel, 1994, «L'entreprise comme ambassade ou la métaphore de l'ambassadeur dans la communication institutionnelle», *Recherches en communication*, n° 1, p. 93-112.

HARLOW, Rex, 1976, «Building a Public Relations Definition», *Public Relations Review* 2, hiver.

JURY, Pierre, 1988, «Les P.R. et la presse sportive», *Des nouvelles sans relations de presse, est-ce possible?* Actes du 20ᵉ congrès annuel, Fédération professionnelle des journalistes du Québec, p. 127-129.

L'ALLIER, Jean-Paul, 1986, «La communication : une attitude autant qu'une aptitude», *Le Devoir*, 18 avril.

LALANDE, Suzanne, 1988, «Le problème d'image des relationnistes», *Le Devoir*, 17 septembre, p. 12.

LAMARRE, Daniel, 1995, «L'avenir des relations publiques», *Publics*, octobre, p. 21-22.

LAPLANTE, Laurent, 1988, «Oxydol lave-t-il plus blanc?», *Des nouvelles sans relations de presse, est-ce possible?* Actes du 20ᵉ congrès annuel, Fédération professionnelle des journalistes du Québec, p. 81-84.

LEDUC, Robert, 1984, *La publicité, une force au service de l'entreprise*, 8ᵉ édition, Paris, Dunod, 335 p.

LESAGE, Gilles, 1993, «Le journaliste se croit menaçant pour l'informateur : l'information gouvernementale est peu crédible de l'aveu même de ceux qui la préparent et la distribuent», *Le Devoir*, 7 novembre, p. A11.

L'HEUREUX, Gaston, 1988, «Un vieux couple», *Des nouvelles sans relations de presse, est-ce possible?* Actes du 20ᵉ congrès annuel, Fédération professionnelle des journalistes du Québec, p. 132-133.

LOSIER, Anne-Marie, 1992, *L'industrie et la profession des relations publiques au Québec*, mémoire de maîtrise, Université de Montréal.

LOUGOVOY, Constantin et Denis HUISMAN, 1981, *Traité de relations publiques*, Paris, Presses universitaires de France.

MAISONNEUVE, Danielle, Jean-Yves LAMARCHE et Yves SAINT-AMAND, 1998, *Les relations publiques dans une société en mouvance*, Presses de l'Université du Québec.

MASSON, Claude, 1988, «Qui décide?», *Des nouvelles sans relations de presse, est-ce possible?* Actes du 20ᵉ congrès annuel, Fédération professionnelle des journalistes du Québec, p. 63-66.

MELANÇON, Jean, 1987, *La démarche du marketing : pour évaluer la communication institutionnelle*, travail de maîtrise pour le cours Stratégies de communication institutionnelle, Université Laval, 29 p.

MEPHAM, Doug, 1995, «Reassessing the role of public relations», *Marketing*, 17 avril, p. 18-19.

MESSIKA, Liliane, 1995, *Les dircoms : un métier en voie de professionnalisation*, Paris, L'Harmattan 239 p.

MILLETTE, Jacques, « L'information, notre matière première », *Des nouvelles sans relations de presse, est-ce possible ?* Actes du 20ᵉ congrès annuel, Fédération professionnelle des journalistes du Québec, p. 67-70.

MILLETTE, Jean et Guy ROBERGE, 1986, « Pour réussir sa propre stratégie de communication », *Le Devoir,* 18 avril, p. 9.

MINISTÈRE DU DÉVELOPPEMENT DES RESSOURCES HUMAINES DU CANADA, 1997, *Canadian Occupational Projection Systems.*

PELLETIER, Gérard, 1988, « La presse est-elle sans saveur et le strict reflet du travail des relationnistes ? Oui et non », *Des nouvelles sans relations de presse, est-ce possible ?* Actes du 20ᵉ congrès annuel, Fédération professionnelle des journalistes du Québec, p. 73-76.

PERREAULT, François, 1994, « Billet », *Info Presse*, avril, p. 10.

POPCORN, Faith, 1994, *Le rapport Popcorn : comment vivrons-nous l'an 2000 ?*, Montréal, Les Éditions de l'Homme, 268 p.

ROCHE, Marc, 1998, « Une confidente du prince Charles écorne l'image sainte de Diana », *Le Monde*, 27 octobre, p. 1.

ROSS, Sj, 1997, « The Target Speaks : Writer Sj Ross describes what she hates about public relations and how practitioners can avoid it », *Marketing*, 22 septembre, p. 20.

RYAN, Michael et David L. MARTINSON, 1988, « PR and Journalists : Why the Antogonim ? », *Journalism Quarterly*, vol. 65, nᵒ 1, p. 131-140.

SAMSON, Bernard, 1994, « Une leçon de marketing », *L'Actualité*, 15 novembre.

SAUVAGEAU, Florian, 1988, « L'intérêt général ou l'intérêt particulier ? », *Des nouvelles sans relations de presse, est-ce possible ?* Actes du 20ᵉ congrès annuel, Fédération professionnelle des journalistes du Québec, p. 31-36.

SORMANY, André, 1988, « Journalistes et relationnistes ou le partage du pouvoir d'informer », *Des nouvelles sans relations de presse, est-ce possible ?* Actes du 20ᵉ congrès annuel, Fédération professionnelle des journalistes du Québec, p. 95-101.

TANG, Eric, 1998, « Wag the PR man : The press may be the buffoons, but PR is savaged in Hollywood's latest tale of media manipulation », *Marketing*, 2 mars, p. 9.

TIXIER-GUICHARD, Robert et Daniel CHAIZE, 1993, *Les Dircoms, À quoi sert la communication ?* Paris, Seuil, 595 p.

TIXIER-GUICHARD, Robert et Daniel CHAIZE, 1994, « Les médias à l'ère du mensonge, La Communication contre l'information », *Le Monde diplomatique*, avril, p. 28-29.

TREMBLAY, Arthur, « Journalistes-relationnistes : un rapport de force justifié »,
Des nouvelles sans relations de presse, est-ce possible ? Actes du 20ᵉ congrès annuel,
Fédération professionnelle des journalistes du Québec, p. 141-142.

TREMBLAY, Gaëtan, Michel SAINT-LAURENT, Armande SAINT-JEAN et Enrico
CARONTINI, 1988, *La presse francophone québécoise et le discours de promotion*,
Montréal, Fédération professionnelle des journalistes, 42 p. + annexe.

TREMBLAY, Solange, 1995, « Le monde change, les relations publiques aussi »,
Publics, vol. 21, nº 1, mars, p 9.

VALÉRY, Paul, 1973, *Cahiers*, tome 1, Paris, Éditions Gallimard, 1492 p.

VILLENEUVE, André, 1977, « Les relations publiques dans l'entreprise, un luxe
ou une nécessité », *Commerce*, mai, p. 52-70.

WILCOX, Dennis, Phillip AULT, H. AGEE, 1986, *Public Relations, Strategies and
Tactics*, New York, Harper and Row, 645 p.

Liste des exemples

Exemple 1 : la bouteille des distilleurs   18

Exemple 2 : les 700 serpents   19

Exemple 3 : IBM : l'homme contre la machine   21

Exemple 4 : le fumeur inconnu   22

Exemple 5 : les tribulations de Gilles E. Néron   152

Exemple 6 : organigramme de la firme de relations publiques National   178

Exemple 7 : tableau des 12 plus importantes firmes de relations publiques   180

Exemple 8 : le code d'éthique de la Société des relationnistes du Québec   193

Exemple 9 : caricature   198

TABLE DES MATIÈRES

INTRODUCTION   7

Chapitre 1 : QU'EST-CE QUE LES RELATIONS PUBLIQUES ?   11
  1. Pourquoi fait-on des relations publiques ?   12
    1.1   Parce qu'on ne peut vivre sans communication   13
    1.2   Pour attirer l'attention   16
    1.3   Pour informer   20
    1.4   Pour créer un climat de sympathie   23
    1.5   Pour résoudre un problème   25
    1.6   Pour gérer un défi   26
    1.7   Pour développer une image   26
    1.8   Pour se défendre   28
    1.9   Pour influencer l'opinion du public   29
    1.10   Pour répondre aux journalistes et au public   29
    1.11   Pour faire face à la complexité socio-économique   31
  2. Ce que sont les relations publiques   33
    2.1   Un état d'esprit   34
    2.2   Un outil de gestion   35
         La prise de décision   35
         La gestion des enjeux   38
    2.3   Un savoir-faire   39
    2.4   Un art et une science   42
    2.5   Un métier exigeant   43
    2.6   Une pratique démocratique   44

2.7 Un contrôle sur la réalité 47
2.8 Une industrie 48
2.9 Un système de valeurs 49
3. Une définition 49
3.1 Une activité de direction 50
Être membre de la direction *51*
Participer aux décisions *53*
Une fonction de gestion *55*
3.2 De caractère permanent et organisé 55
3.3 Au service de l'entreprise 56
3.4 Pour créer un courant de sympathie 57
3.5 Pour gérer les défis 58
3.6 Auprès de ses différents publics 58
3.7 Une pratique de l'information 61
3.8 La recherche de l'intérêt commun 62
Conclusion 63
4. Les relations publiques et les autres métiers
de la communication 63
4.1 Le journalisme 64
4.2 La publicité 65
4.3 Le marketing 66
4.4 Les affaires publiques et le lobby 67
4.5 La propagande 68
Conclusion 69
5. Un peu d'histoire 70
5.1 La pratique ancestrale 71
5.2 La naissance des relations publiques modernes 72
5.3 Les leçons d'une crise 74

Chapitre 2 : LES HABILETÉS REQUISES POUR
RÉUSSIR DANS CE MÉTIER 79
1. Les qualités personnelles 79
1.1 Une culture générale solide 79
1.2 De l'imagination 80
1.3 Des aptitudes particulières 81

2. Des connaissances particulières 82
   2.1 La connaissance de l'organisation 82
   2.2 La connaissance du public 84
   2.3 La connaissance de l'environnement 86
   2.4 La connaissance des techniques de recherche 88
3. Les exigences professionnelles 89
   3.1 La connaissance des médias 89
   3.2 La connaissance des stratégies de communication 92
      La compréhension du problème :
      un rôle d'analyste 93
      La formulation des objectifs et le choix
      des cibles : un rôle de conseiller 95
      La présentation de la stratégie : un rôle
      de stratège 96
      Le choix des techniques : un rôle d'expertise 98
      Le choix des médias : un rôle technique 99
      Le choix des supports : un rôle d'imagination 100
      Les messages : un rôle de créativité 100
      La production : un rôle de spécialiste 101
      Le budget et le calendrier :
      un rôle de logistique 101
      L'évaluation : un rôle de recherche 102
   3.3 La connaissance des techniques
   de communication 103
      La technique de base : l'écriture 104
      Les communications de masse 105
         Les relations de presse 105
         Les affaires publiques, le lobby
         et la propagande 107
         La publicité 108
         Les campagnes de financement 109
         L'organisation d'événements 110
         Les nouvelles technologies 111
      La communication interne 112

Les communications personnalisées	113
Les rencontres individuelles	113
La communication directe	114
Les rencontres en petits groupes	114
Les expositions	115
Le protocole	115
3.4 La connaissance des supports	116
Les supports écrits	116
Les supports audiovisuels	117
Les supports tridimensionnels	118
4. Le travail du relationniste	118
4.2 Les tâches de décision	119
4.3 Être généraliste ou spécialiste	120
4.4 Les tâches qu'il peut accomplir	120
Chapitre 3 : LA FORMATION	123
1. Le contenu de la formation idéale	124
2. Les problèmes de la formation	125
2.1 L'engouement pour les sciences de la communication	125
2.2 La formation sur le tas	126
2.3 La formation générale de base	126
2.4 La négligence des entreprises	129
3. La diversité des formations	130
3.1 La communication instrumentale	130
3.2 La communication stratégique	130
3.3 La science de la communication	131
4. La formation dans les établissements scolaires	132
4.1 La formation dans les cégeps	132
4.2 La formation dans les universités	132
Les cours réguliers de premier cycle	133
Les cours de la formation continue	135
À l'université	135
À la télé-université	136
À distance	136

Les cours de service 136

Les cours de deuxième cycle 137

La formation au troisième cycle 138

5. La formation professionnelle 138

5.1 La Société des relationnistes du Québec 138

5.2 Les entreprises 139

5.3 Le *benchmarking* : l'apprentissage par l'exemple 139

5.4 La formation privée 140

6. La réalité de la formation 140

6.1 L'absence de formation 141

6.2 La culture de base 142

6.3 Une formation commune pour le journalisme
et les relations publiques 143

6.4 Les préoccupations divergentes des intervenants 144

Chapitre 4 : COMMENT S'ORGANISE LA PROFESSION ? 147

1. L'état des lieux 147

1.1 Une profession non balisée 147

1.2 Un métier complexe 149

1.3 La spécificité des tâches 151

2. Le travail en entreprise 155

2.1 La raison d'être d'un service de communication 156

2.2 Un contenu spécifique 161

2.3 Une réalité complexe 163

2.4 Une fonction politique et administrative 166

2.5 Sa situation dans l'organigramme 168

2.6 L'organisation d'une direction
des communications 168

Les services à offrir 170

Les tâches à réaliser 171

2.7 Les rapports avec les cabinets conseils 173

2.8 La communication intégrée 174

3. Le travail dans une agence 175

3.1 La structure d'une agence 176

3.2 Les principales agences 179

3.3 Les différents clients 179

4. Le relationniste pigiste ... 179
5. Les rapports avec les journalistes ... 181
    5.1 La mise en valeur du relationniste ... 182
    5.2 La mise en scène du journaliste ... 185
    5.3 Une méfiance mutuelle ... 187
6. Les associations professionnelles ... 189
7. L'éthique ... 191
    7.1 Une définition ... 191
    7.2 Les cas de conscience ... 192
8. Les débouchés ... 194

Chapitre 5 : L'IMAGE DU RELATIONNISTE ... 197
1. La notion d'image ... 199
2. Les images proposées ... 200
    2.1 Le dieu Hermès ... 200
    2.2 L'ambassadeur ... 201
    2.3 L'interprète ... 202
    2.4 La générosité ... 204
    2.5 Le redresseur de torts ... 204
    2.6 La vérité avant tout ... 206
3. Les images perçues ... 207
    3.1 Le relationniste mondain ... 207
    3.2 Le relationniste agent de presse ... 208
    3.3 Le manipulateur ... 209
    3.4 Le ventilateur ... 210
    3.5 Le *spin doctor* ... 210
    3.6 Le docile ... 211
4. Les images vécues ... 211
    4.1 Le schizophrène ... 211
    4.2 Le fou du roi ... 212
    4.3 L'emballeur ... 213
    4.4 Le mercenaire ... 213
    4.5 Le gestionnaire d'images ... 214
    4.6 Le maquilleur ... 214
    4.7 Le vendeur de produits ... 215
    4.8 L'avocat ... 216

4.9 Le pompier   217
4.10 Le démocrate   217
4.11 Le téméraire   218
Conclusion   219

Chapitre 6 : LES DÉFIS DE L'AVENIR   221
  1. Sur le plan professionnel   221
    1.1 La crédibilité du relationniste   221
    1.2 L'image de la profession   222
    1.3 La spécificité de la formation   223
    1.4 L'évaluation   224
    1.5 La communication interne   225
    1.6 La gestion des enjeux   226
    1.7 Le retour à l'individu   227
  2. Sur le plan sociétal   227
    2.1 La responsabilité sociale   228
    2.2 La dépersonnalisation   229
    2.3 Le partage de la connaissance   229
    2.4 Le paradoxe des communications   231
    2.5 Les valeurs sociales   232
    2.6 La différence culturelle   233
    2.7 La mondialisation   233
  3. Les relations publiques servent-elles bien la société ?   234

BIBLIOGRAPHIE   237

LISTE DES EXEMPLES   241

TABLE DES MATIÈRES   243

Marquis Imprimeur inc.

Québec, Canada

2007